经典科学系列

可怕的科学
HORRIBLE SCIENCE
"末日"来临
WASTED WORLD

我的家要没啦!

〔英〕尼克·阿诺德／著　〔英〕托尼·德·索雷斯／绘　陈伟民／译

北京出版集团
北京少年儿童出版社

著作权合同登记号

图字：01-2011-4729

Text © Nick Arnold 2009，

Illustrations © Tony De Saulles 2009

Cover illustration reproduced by permission of Scholastic Ltd.

本书中文译稿由台湾天下远见出版股份有限公司授权使用。

©2010 中文版专有权属北京出版集团，未经书面许可，不得翻印或以任何形式和方法使用本书中的任何内容或图片。

图书在版编目（CIP）数据

"末日"来临 /〔英〕阿诺德著；〔英〕索雷斯绘；陈伟民译 . — 北京：北京少年儿童出版社，2013.1（2024.10 重印）

（可怕的科学·经典科学系列）

书名原文：Wasted World

ISBN 978-7-5301-3296-8

Ⅰ.①末… Ⅱ.①阿… ②索… ③陈… Ⅲ.①未来学—少年读物 Ⅳ.①G303-49

中国版本图书馆 CIP 数据核字（2012）第 258239 号

可怕的科学·经典科学系列

"末日"来临

"MORI" LAILIN

〔英〕尼克·阿诺德 著

〔英〕托尼·德·索雷斯 绘

陈伟民 译

*

北 京 出 版 集 团 出版

北 京 少 年 儿 童 出 版 社

（北京北三环中路6号）

邮政编码：100120

网 址：www . bph . com . cn

北京少年儿童出版社发行

新 华 书 店 经 销

北京同文印刷有限责任公司印刷

*

787毫米×1092毫米 16开本 8.5印张 100千字

2013 年 1 月第 1 版 2024 年 10 月第 42 次印刷

ISBN 978 - 7 - 5301 - 3296 - 8

定价：22.00元

如有印装质量问题，由本社负责调换

质量监督电话：010 - 58572171

目　录

引 子

在银河系的边缘地带，有一颗小小的蓝色行星，绕着一颗相当普通的黄色恒星运转。你认出这个地方了吗？没错！它就是我们的家——地球，而且除非你是外星人，否则它也是你"唯一"的家。

事实上，从行星的角度来说，这颗蓝色行星还是不错的：上面有好吃的食物，不会太热也不会太冷（我说的是天气，不是食物）。对了，风景也不错。难怪宇宙中的每一位疯狂科学家都想统治这个地方。比如说，现在这里就有一位！

Z教授
邪恶的科学家
邪恶的笑声

哇哈哈哈哈！
哈哈哈哈哈！

而且，这里还有一群……

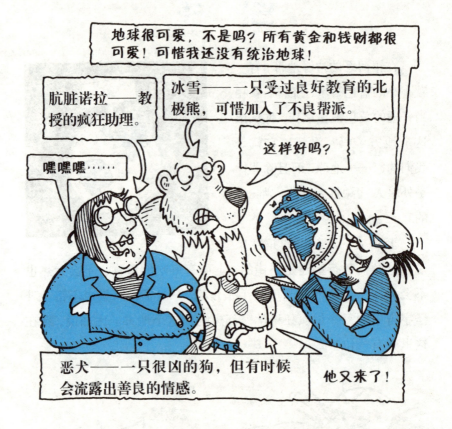

我们等会儿再来聊聊邪恶的教授和他的党羽，现在还是先谈谈地球上的怪事儿。地球就像一家塞满古怪袜子的古怪商店，充满各式各样的怪事儿。例如，人们生活在这里，这里是人们唯一的家，可是人们却拼命破坏这里！而这正是这本书的主题。

在接下来的内容中，你会发现地球遇到了什么样的危机，也会知道我们的前途将会如何。而且因为本系列丛书叫作"可怕的科学"，而不是"美妙的科学"，所以你会读到很多令人尖声惊叫的内容。现在，你还在等什么呢？地球上堆积了越来越多的废弃物，我们没有时间可以浪"废"了！

地球大胃王

你现在开心吗？是不是笑得像刚得到新骨头的骷髅一样呢？就在此刻，地球上可能有大约75万人正在微笑，因为他们是今天刚出生的新生儿的父母——地球上每天大约有37.5万名婴儿出生！真可爱！我们都喜欢小婴儿，麻烦的是：不断增加的人口对地球造成了很大的压力。

当然，这些新生儿什么都不懂，不过如果他们有能力的话，可能会忙着规划这一生需要什么，甚至可能会抓起蜡笔，用歪歪斜斜的字迹写下一张采购清单……

我的采购清单　申请者：小婴儿 →

1. 现在的我拥有新生命，所以需要食物。好啦，目前喝妈妈的母乳很好，但是，我很快就会想吃汉堡、薯条和香脆的洋葱圈！而且在我的一生当中，每天都要吃三顿，否则我就会尖叫到呕吐为止！

2. 我需要干净的水。因为我很快就会想喝柠檬茶、奶昔和可乐这类饮料，而这些饮料都是水做的。我可能还需要洗澡……偶尔啦！

3. 我要有地方住。最好有自己的卧室，配备有独立的浴室、电视，还要能高速上网。

4. 我还必须受教育。嗯，其实是我爸妈这样认为啦。

5. 我还需要一大堆东西，像什么无限供应的豪华尿布，塞满衣橱的名牌连衫裤，还有微电脑全自动带空调的婴儿车，车上还要有内置光盘播放器……不过我现在有点儿困了。

6. 喔，对了，我还需要睡眠。

懂了吗？每一名婴儿都必须瓜分一部分的物资，问题是地球上的资源根本不够分配。

要命的信息大爆炸

▶ 在 2009 年这一年，全世界的人口大约增加了 8 000 万，相当于同年北京市常住人口数的 4.5 倍。而且人类的寿命越来越长，也就是说，有越来越多的人同时生活在地球上。

▶ 目前全世界有超过 10 亿人没有足够的食物可吃，有 25 亿人没有充足的清洁水源。

▶ 每 6 个人当中就有 1 个人无法接受基础教育，但他们大多数都想要上学。

回想在公元前 1 万年，人类几乎和会飞的犀牛一样稀少。想当初找长毛象麻烦的人，大约只有 1 000 万人左右。到了 1900 年，地球上的人口虽然大量增加，但仍只有 2000 年时的约 1/4 而已。

2000年
人口：
60.7亿

真是多如"象毛"！

1900年
人口：16.5亿

到了 2030 年，人类的总数可能达到 82 亿，2050 年则可能突破 90 亿。而且所有人都需要食物、水、住所和教育（不论他们喜不喜欢），甚至想要常常出门旅行，或是希望科学家发明各式各样的工具或玩具。

有胆你就试……人口增长有多快

你需要：

▶ 至少 64 张纸

乐观主义者请注意：

如果你的父母特别有钱，又很好骗，你可以要求改用 64 张 100 元的钞票。天知道，说不定他们真的会给你。如果他们真的给了，就告诉你那好骗的父母，这个实验必须持续进行 32 年，这些纸要回收反复使用……你可以在本书的第 116 页读到，废纸回收是善待地球的一种方式。

实验步骤：

1. 把两张纸放在书桌上，每一张代表一个人，把这两张纸想象成一对父母，而且不太健康……我是说他们的脸色都跟纸一样苍白，不是吗？哈哈！

2. 把另外两张纸放到原来那两张纸上面，现在你有 4 张纸了，把它们想象成刚刚那对父母的 4 个子女；然后再加上 4 张纸，代表他们的 8 个孙子；再加上 8 张纸，代表他们的 16 个曾孙。

3. 知道怎么回事了吗？每次你加上新的白纸，就制造出新的一代，而且每一代的人数都是上一代的两倍。所以，如果你要继续下去，下一代需要再加上 16 张纸，下下一代就要 32 张纸……

4. 你可以继续加纸，让纸的数目不断增加，直到你失去耐心或是用完所有准备的纸，甚至用完地球上所有的纸为止。

你会发现：

纸的数目在急速增加。事实上，在经过 100 次的倍增之后，你的纸堆就会塞满整个宇宙，就算砍掉整个地球上的树也造不出那么多张纸，而且光是想想那么大的数字，就会让人脑袋发昏。幸好地球上没有那么多人，否则一定会吃光所有食物，不断踩到别人的脚，人人怒气冲天，甚至互相残杀。

现在，告诉你一个好消息！到了 2070 年，人口就不会像过去那样急速增加了。原因很复杂，但主要是因为人们越来越有钱，为了节省花费，养的小孩越来越少。这句话听起来很怪，对不对？嗯，富有的父母会在子女身上花费较多的金钱——所以养小孩就变成了一件很昂贵的事情。这种家庭人口越来越少的趋势，已经出现在美国、欧洲和日本。

但是到了 2050 年，地球上的人口仍会达到 90 亿……光想到要为那么多人煮饭，给那么多人提供洗澡水，就是一场噩梦！人类到

底该如何解决这个问题呢？我们能不能撑到2050年？毕竟曾经有位人口专家预言我们活不到今天！

名人堂　马尔萨斯（1766—1834）

国籍：英国

马尔萨斯有7个兄弟姐妹……难怪他对人口爆炸的问题那么担心（如果我有7个兄弟姐妹，我也会爆炸的）。马尔萨斯在1804年娶了他的表妹哈莉，生了3个小孩。

马尔萨斯的爸爸是位哲学家，他认为每一件事最后都会好转。"那可不一定。"马尔萨斯持反对意见，"问题是我们的食物供应来自农民的耕作，粮食产量只能缓慢地增加，但是每一代人口数却会倍增。"马尔萨斯认为当粮食供应不足时，人们就会挨饿。

老爸，你太天真啦！

马尔萨斯长大后先成为一名牧师，后来又改行当了老师，并在1798年把他的观点写成了一本书，叫作《人口论》，结果非常畅销。事实上，他的观点影响深远，甚至在1834年，英国政府还根据他的观点制定了一条法律，规定受救济的穷人必须在济贫院的工厂里干活。当时英国政府的想法是，不能对穷人滥发慈悲，否则他们会生出更多的小孩，而食物却无法同步增加。

马尔萨斯逝世于1834年，他的墓志铭继续为他的书做宣传，并吸引了大众的目光。以下是他的墓志铭"忘了"说的内容……

✝在此安息✝

这里躺着的是经济学家马尔萨斯。

他曾经当过老师，而且教得很好。

他因为写了一本名为《人口论》的书而声名大噪，

这本书对英国造成很大的影响，

直到现在还可以在各大书店买到，

不过马尔萨斯已经无法为你的书签名了。

书上说我们不该对穷人有求必应，

因为这样他们会只想放假和生小孩。

不过至少马尔萨斯的生命结束了，

地球上又少了一个人。

　　好啦，实际上他的墓志铭不是这样写的。它上面写的是《人口论》那本书多么有名，以及马尔萨斯是多么好的人。我承认他是个好人，不过他的想法错得离谱，而且有些政府还以他的书为借口，对穷人施加暴行。

　　因为在他那个时代，大多数工作都是依靠人力完成的，顶多借助动物的帮忙，所以马尔萨斯才会判断错误。这位刚愎自用的牧师永远无法想象，一个以机器为主要生产工具的世界，将会大大增加食物的产量。他也无法想象，巨大的货轮和飞机能够把食物快速地从地球的一端运送到另一端，还有冷库可以使食物保持新鲜，而电和石油可以为各种机器提供动力。

　　你可以把整个世界的工业、农业和运输业想象成一部巨大的机器，并称它为"地球大胃王"。这部不可思议的机器可以把地球上

的植物、动物和各种工业原料变成纸、家具、汉堡包、玉米片、计算机、汽车和自动挖鼻孔机，还有所有你想得到的圣诞礼物。

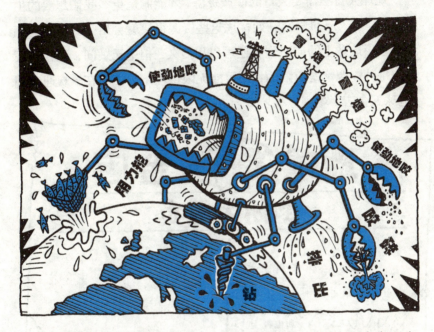

毫无疑问，这部机器运转得很好，让我们大多数人都有东西吃，还让很多人变成了有钱人。但这些都必须付出代价……嗯，代价不高啦。想要偷瞄一下账单吗？

地球大胃王的账单

为了让你有衣服穿、有食物吃、有房子住、有工具可以使用，还要送你到任何想去的地方……

代价：永无止境的原料供应！

问题是地球的资源无法像你感冒时的鼻涕一样，永无止境地提供。现在我们已经快要用完某些重要的资源了……

空旷的矿场

　　地球大胃王需要大量的矿产资源，才能制造更多我们想要的生活用品。如今，科学家开始忧虑这些资源很快就会用完。虽然他们仍在争论地球上的矿产到底还可以用多久，但毫无疑问，埋在地底下的每种资源都是有限的，不可能无限供应下去。现在，欢迎来到"地球五金店"参观。

地球五金店
倒闭大甩卖

　　铟　适合用来制作平板电视的液晶屏幕。

和电视上看到的可不一样！

　　银　想买要快，否则很快就会买不到，你只好永远佩戴令人尴尬的塑料珠宝。

　　锌　趁着还有存货，赶快下订单！不然等到锌全部消耗完毕，铁器一定会生锈！

　　锑　适合制造某些电池及电器，但未来无论花多少钱都买不到！

对啊，以后就没电了！懂吗？

完全没电

　　磷　等到磷消耗完了，只能用粪便当肥料。

现在　　未来

化学肥料

好臭！

你肯定不知道!

铂可以用来制造汽车的排气净化器,这种装置可以净化汽车尾气,减少污染。但是铂既稀少又昂贵,因此绝望的科学家想利用微生物,从马路旁的灰尘中回收铂。这些灰尘是汽车排放尾气时排出的,里面含有微量的铂。顺便提一下,躺在马路上收集灰尘,不会使你变得富有,顶多能在你的身上收集到一些轮胎的印痕。

在来自地下的物资中,有些比矿物质更容易用完,那就是:燃料!这些东西通常是地球大胃王的动力来源。根据科学家的计算,地球还剩下:

▶ 大约 1211 亿吨的石油。

▶ 大约 119 万亿立方米的气体燃料。

▶ 不到 15 980 亿吨的煤。

这些存量听起来好像还不少,不过人类大约会在 2060 年之前把石油用完,在 2080 年之前把气体燃料用完,在 2210 年之前把煤用完。

这些燃料被称为"化石燃料",它们是远古生物遗骸经过好几百万年的转化才形成的。也就是说,化石燃料一旦用完,在几百万年之内都来不及补充。更糟的是,不止是矿产以及燃料即将消耗殆尽,雨林也是!我们破坏雨林的速度已经超过雨林生长的速度。

雨林遇难记

雨林是所有生物学家的天堂。地球上生存着数百万种植物与动物,它们中大约有一半生活在雨林。这些植物包括许多医生常用的重要药品,我们的食物也有大约 80% 来自雨林。假设你现在

正在享用一杯香草菠萝口味的冰激凌，上面还插了一根巧克力棒，你可知道这些美味的香草、菠萝、巧克力全都来自雨林！

所以人类应该要好好照顾雨林……对不对？嗯，没错，我们"应该"如此！

要命的信息大爆炸

▶ 雨林面积正以大约每秒钟 5 座足球场的速度减少。

▶ 21 世纪的前 5 年，巴西的亚马孙雨林消失的面积相当于一整个希腊那么大。你能想象整个希腊从世界版图上消失的情形吗？

▶ 大多数专家认为，如果人类以这种速度继续砍伐雨林，到了 2050 年，雨林将荡然无存。

随着越来越多的雨林消失，植物和动物的栖息地越来越少，甚至无法繁殖。许多生物在科学家还没来得及研究时就灭绝了……

你肯定不知道！

澳大利亚雨林中有一种蛙类已经灭绝了。这种神奇的蛙类会把自己的卵吞下，让孵化出来的蝌蚪在自己的胃液里游泳并生长，等到"生产"的时候，把小宝宝吐出来就行了。

哇！你们这些小孩子让我"吐"了！

不过，雨林为什么会遭难呢？难道我们不喜欢雨林吗？不，事实上是因为雨林实在太有用了。雨林中处处是宝藏，但世界上不断快速增加的人口正以惊人的速度消耗着那一座座宝库……

树

人们需要越来越多的阔叶树,例如柚木。但人们把树砍倒之后,通常不会花时间补种新的树木,真遗憾!

哗 啦

我的家要没啦!

土 地

人们把树砍倒,改种谷物或养牛。这样对土地很不好,因为树能对土壤起到保护作用,即使被雨水冲刷,水土也不会流失(这里被称为雨林,绝非浪得虚名)。滥砍乱伐的结果是,不到几年的时间,只剩下遭受洪水肆虐的荒地。

矿 产

在雨林里开矿,意味着那里会出现更多的马路,以及砍伐更多的树木。

肉

在非洲的部分地区,人们能够吃得起的肉类全都来自雨林。不过这里说的不是火腿和培根,而是鳄鱼肉、河马肉和猴子肉……

麻烦的是,目前这些动物灭绝的速度比繁殖的速度还要快。如果你想要尝试这些肉类做成的汉堡,你的肠胃可能要足够强悍才行……呃,天哪,胃已经开始不舒服了,还是改谈鱼好了……

啊,爸爸!

海洋的劫难

事实上，地球大胃王不仅让雨林蒙难，也使海洋大祸临头。自从恐龙灭绝后，当一条鱼就是最可怕的事情了。从前，捕鱼的船又小、速度又慢，一些鱼儿还能逃过一劫；但是近年来，具有加工设备的大型渔船不断在各地海面出没。好消息是捕捞量可达到 20 世纪 70 年代的 4 倍，坏消息是大海中根本没有 4 倍的鱼！

现在，身为科学家与发明家的崔牛教授正在给他的猫——提朵，采购一些必要的食品。

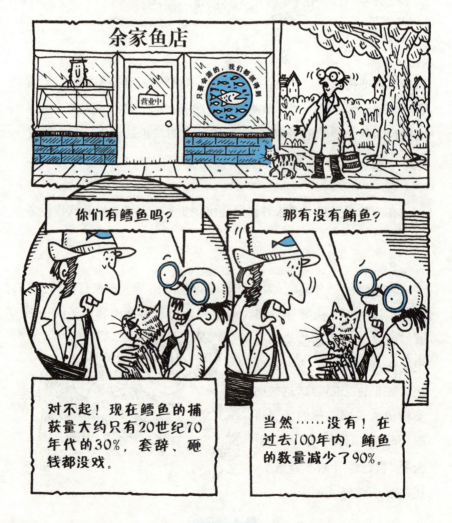

教授不必太沮丧，海里应该还有很多的鱼……呃，其实没有。那些讨厌的渔网除了捕鱼，还顺带网住了几千只倒霉的海鸟和海豚。下面就去采访一下白鳍豚这个倒霉蛋儿。

《可怕的科学》独家专访

记者：仇闻

仇：白鳍豚，为什么人们说你很倒霉？

白：嗯，因为我死了……

仇：喔，我的天，那真的很倒霉！你怎么死的？

白：几千万年来，我和我的朋友都住在中国的长江。我们白鳍豚是一种很特殊的鲸类，因为生活在长江的浊水中，视力严重退化，不过仍然很快乐。

仇：你们在浑浊的水里仍然嘿嘿笑？

白：我们从前真的很快乐，直到20世纪50年代，人类为了用我们的皮做成手提包和手套，就开始用渔网捕捉我们。

仇：我猜你们当时一定气得冒烟。

白：不，长江才真是乌烟瘴气！我们还必须忍受人们的污染，最后被你们害到绝种，真是气"死"了！

仇：真是"鳍"惨无比。

白：是啊，我们就这样白白牺牲了。

仇：你还生我们的气吗？

白：我很想咬你一口，可是现在没胃口了。

仇：那是因为你已经被做成标本了。

白：吼！

住在漂亮新家的白鳍豚

1986 年，世界上大约有不到 300 只白鳍豚；到了 1990 年，数目减少到不及 200 只；到了 1998 年，只剩下不足 50 只活的白鳍豚。2006 年，为了寻找白鳍豚，科学家在长江航行了很久，前后找了两次，但是连一只也没发现。

你要知道，这种惨剧不止发生在少数稀有鱼类，或是已经绝种的奇怪海豚身上，而是可能发生在任何动物身上。但是地球大胃王完全不理会这些琐事，继续肆无忌惮地到处破坏。事实上，这本书后面几章谈的全都跟它的破坏行动有关。不过，现在我们要先谈一些"臭"名昭著的危险物！

下一章会遇到的东西

麻烦的垃圾

这一章说的全是垃圾，我的意思是：这一章只谈害人的垃圾、发出恶臭的污染物和有毒的废弃物……

关于垃圾的3种定义

垃圾：我们不需要或不想要的东西。（良心提醒：这里说的是物品，而不是像小弟弟或小妹妹那样的人类，把不想要的家人塞进垃圾桶是非常没良心的做法！）

污染物：任何逸散至空气、海水、土壤或河流的垃圾或是有毒废弃物。

有毒废弃物：对人或其他生物有害的垃圾。

10秒钟毒性测验

你能不能将下列物质分成一般垃圾和有毒废弃物？

1. 狗大便
2. 吃剩的营养午餐
3. 杀虫剂
4. 防冻液
5. 废电池
6. 包扎过糜烂伤口和脓包的旧绷带
7. 放射性三明治

答案

　　有毒废弃物：3、4、5、7。大量的杀虫剂可能对人体有害；防冻液确实会致命；电池会含有有毒的重金属；放射性三明治可能对健康造成严重伤害。

　　一般垃圾：1、2、6。狗大便和用过的绷带可能致病，但是它们的危险来自微生物，所以算是"生物危害"，而不是有毒废弃物；学校绝不会"故意"提供有毒的营养午餐……理论上啦！

　　在腐臭的垃圾堆里翻东西，没有人会觉得有趣，但是饥饿的北极熊经常会在垃圾场里找食物。这一次北极熊冰雪又跑到垃圾场，因为Z教授不小心把称霸全世界的邪恶计划书弄丢了，所以命令冰雪和恶犬去找出来。

Z教授的邪恶计划（一）

　　每只北极熊都会认为人类是最浪费的生物！看看下面的数据，你就会知道为什么了！

要命的信息大爆炸

　　▶ 除了丢弃的食物和包装之外，每一年美国人还会倾倒8 500万吨的纸张和硬纸板，其中有一半是旧报纸和杂志。同一时间内，全世界总共丢掉了36 000万吨的纸张和硬纸板，这些是把40亿吨的树干打成纸浆后制成的。

▶ 每个美国家庭每年平均使用 500 个玻璃容器。虽然玻璃可以回收，但大多数会被直接扔进垃圾桶。世界上其他地方的人对玻璃的需求量也很大，例如英国人每年要用掉 200 万吨的玻璃。

▶ 每一位美国人每年平均丢掉 125 千克的枯死植物，所有美国人一年共割掉 3 000 吨的草，这些还不包括丢掉的香蕉皮。

▶ 人类已经制造出超过 50 种以上的塑料，但是对大部分的塑料制品都还没有想出回收的方法。

人类其实很笨，有些人以为当他们随手扔掉东西时——比如一只充气玩具鸭子或是写坏的学校报告，这些东西就会像变魔术一样消失了。其实它们并不会消失，只是被扔到了别的地方。以塑料袋为例，塑料袋不仅丑陋，还对地球有害。

在一个刮着狂风的日子，我们在街头抓到一个企图逃走的塑料袋，并且以破坏大自然的罪名将它起诉。法官进场，全体起立！

塑料袋大审判

法官：你这个居无定所的塑料袋，被起诉的罪行是——每年有几十亿个同伙成为垃圾，但是必须要花超过100年的时间才会腐烂，严重破坏环境。你认不认罪？

塑料袋：我无罪！我只是个容纳万物的袋子，又不是个通晓万事的书呆子！人类要把我制造成什么，我完全无能为力。究竟是谁制造了我？又是谁把我丢掉？是你们人类！懂吗？

法官：当你在海里漂流时，看起来就像水母，引诱海龟和海豚吃下肚，最后害得它们被噎死了。

塑料袋：您别开玩笑了，那怎么会是我的错，对不对？我是说，是它们想要吃我！就算是我害死它们的，那又怎么样？你们人类在买东西时，还不是需要拿我们装东西。

法官：这你就错了！如果要另外花钱买塑料袋，人们通常会自备可以重复使用的环保袋。

塑料袋：所以我可以无罪释放了吗？

法官：嗯，不过想带走你的人，要付1元。

塑料袋有害环境，但是有毒废弃物更糟。很遗憾，有人在下一页倒了很多可怕的有毒垃圾。

Z教授的邪恶计划（二）

现在，Z教授已经在垃圾场中找到了他称霸全世界的邪恶计划书。为了执行计划的第一部分，他派出冰雪和恶犬去收集致命清单上的有毒废弃物。

1．二噁英：有200多种异构体。这种物质造成的不良影响包括扰乱荷尔蒙（在你血液中，帮助身体正常运作的化学物质），引发呼吸系统的疾病和癌症。

2．放射性废弃物：有些原子会分裂，产生看不见的有害射线。放射性废弃物里就含有这类原子，其中包括极毒的钚239，而这种原子可以在土壤中存在好几万年。

3．有机氯化物：存在于某些电池及油漆中，会造成人的呕吐、腹泻及头痛等。

4．多氯联苯：曾被使用于电器中，现在已经全面禁止。它们会引发癌症，并降低人体的免疫力。

5．炼油厂的污泥：含有大量毒素，包括闻起来像臭鸡蛋的硫化氢。

6．汞：能造成人的精神异常、牙齿脱落及脑组织受损。

7．杀虫剂：专门用来除去野草和有害昆虫的有毒化学药剂。不过如果剂量很大，也会除掉人类。有些杀虫剂还会导致癌症及脑组织损伤。

又过了一会儿……

你们找到致命清单上的每一种东西了吗？

你看起来好白。

我觉得不太舒服！

我从来都不知道北极熊会在黑暗中发光！

有些富有的国家还会把有毒垃圾送到贫穷的国家，虽然那是不合法的行为。1988 年，一艘货轮由意大利出发，载着一批有毒废弃物，千里迢迢地运往非洲。你想跟着它乘风破浪吗？

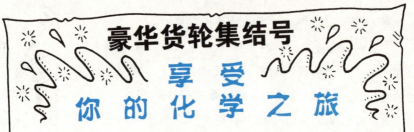

搭乘豪华货轮从最浪漫的国度意大利出发，前往富有异国情调的非洲，然后再回到意大利!

▶ 远离人群（其实是人群想要远离你）。

▶ 认识友善的当地居民（别误会，他们的怒吼声及挥舞的旗帜，只是表示欢迎的方式而已）。

▶ 从西班牙到威尔士，在欧洲到处航行……但是没有地方肯让你上岸。当航程结束时，可以把装了有毒废弃物的圆桶当作纪念品带回家，你的朋友会忌妒到脸都绿了……事实上，你的脸色也会因为中毒而发青。

这艘货轮试着在 5 个国家卸下有毒废弃物，但是没有一个国家愿意接收，最后只好全部运回意大利。这一点儿也不奇怪，没有任何国家会笨到张开双臂欢迎有毒废弃物，而且如果这些有毒物质倒错地方，后果不只是可怕而已，简直是悲剧……

3件恶毒的悲剧

1. 在 20 世纪五六十年代，日本荻岛的一条河流泛滥，淹没了当地的稻田。但当时的人不知道，这条河已经被镉（一种重金属）污染了。镉会对人体造成一连串不良影响，包括发烧、肌肉疼痛、肝脏损伤和骨骼软化，甚至一个人光是站着就可能造成骨折。到了 1968 年，当地已经有约 100 人因此而丧命。

2. 美国尼亚加拉大瀑布附近有条爱情运河，在 1947 年到 1952 年期间，一家化学工厂将大量有毒废弃物倾倒在这条运河中。运河被填平后，人们在上面盖起了小学与住宅。后来，很多居民都患上了癌症或呼吸道疾病，整座城镇的居民最后被迫搬迁。

3. 1971 年，在美国的密苏里州，有人想到可以把废弃的油喷洒在满布灰尘的马路上，但是没想到这些废弃物中含有致命的二噁英。到了 1983 年，整座深受污染的城镇的居民被迫往外迁移。

如果你觉得上述这些恐怖的灾难已经非常严重了，那发生在印度博帕尔的事件可就是超级无敌严重了……

黑暗中的死神

1984年12月3日　　印度博帕尔

午夜时分，市内的大型农药厂突然发生毒物泄漏，废气燃烧塔发出嘶嘶声，喷出羽毛状的白色蒸汽，整个喷发过程持续了大约 90 分钟。这种蒸汽比空气重，在夜风中回旋下沉，变成致命的毒雾，然后向四面八方扩散，但是当时没有人察觉。因为当时博帕尔市民在明亮的星空下，伴着火炉和火盆散发的薄烟，睡得正熟，只有少

数住在工厂附近巷弄的居民醒了过来。

凌晨0：30，警报器没响。为了避免居民恐慌，警报器早就关掉了。当地居民很快就要大祸临头了。

这些致命的毒雾中含有异氰酸甲酯，这是一种杀虫剂的成分，水流入了装有异氰酸甲酯的桶中，造成异氰酸甲酯沸腾。

异氰酸甲酯沸腾后，就把有漏洞的阀门给炸开了。几年来，博帕尔早就危机四伏，这次的意外早晚会发生。废气燃烧塔的阀门早就有漏洞，管路腐蚀严重，只要废气燃烧塔不拆除，迟早会炸掉。1982年，一位勇敢的记者拉吉库玛·柯瓦利就曾经写过一系列的文章，提醒当地民众要注意安全。

博帕尔随时会有危险

敬告全体居民

如果你们意识不到这件事情的严重性，所有人都会赔上性命。

但是有权有势的人不听他的忠告，现在一切都太迟了。当天晚上，所有安全措施都失灵了。

因为冷风助势，毒气像鬼魂一样悄悄穿越小巷，由门缝底下、窗户破洞钻进摇摇欲坠的房屋里。人们在黑暗中醒来，眼睛、鼻子

和喉咙感到灼痛。当阿细莎·苏丹醒来后，她只看到一片白茫茫的烟雾，并听到人们大喊："快跑！快跑！"

接着，她开始咳嗽，并感到窒息，每吸一口气都觉得喉咙好像着了火，眼睛也刺痛无比，于是她拔腿快跑。事实上，整个城市的人都在跑，只听见警笛在死神的烟雾中发出刺耳的声音……但是没有人知道自己正往哪个方向跑。

川巴·黛妃·舒克拉也和她的家人一起逃跑。她从来不曾这么痛苦，全身好像被涂上热辣的红辣椒一样灼热，视线因为受到灼热的泪水刺激而模糊，但是她仍可瞥见身边的人在不断倒下。这些人的口水和鼻涕变得滚烫而成了泡沫，当他们的肺功能损伤后，皮肤变成了可怕的蓝色。人们在奔逃中互相踩踏，牛群发出痛苦的吼叫声，在街道上狂奔，谁也没有余力去救其他的人。

几百名喘不过气的人被送到医院，但是当束手无策的医生打电话到农药厂求助时，工厂的人只告诉他们：用水清洗病人的眼睛。原来，农药厂根本没有准备任何药品，也没有应急计划。直到今天，没有人知道在这场灾难中究竟有多少人丧生，但是当天早上，街上到处是尸体，包括死牛、死鸟和人类的尸体。好几千具尸体被扔进河里，或是弃置在森林里。只有几千生还者因为运气好而活了下来，他们没有一个人能够忘掉那一夜，曾经与死神擦肩而过。

滚烫的焚化炉

要除去有毒物质，有一种方法就是把这些物质放进一种巨大的炉子里燃烧，这种炉子称为焚化炉。我听说 Z 教授在他最近出版的儿童书籍上曾经提到过焚化炉，也许可以翻阅一下……嗯，我不完全认同他的观点，不过你的确可以从中了解焚化炉的运作方式。

坏孩子专用的科学计划

如何把你的学校变成一座焚化炉

大多数学校建筑根本毫无用处，所以如果你能利用这些建筑赚个几百万，根本不会有人在乎！

操作指南：

1. 把所有人赶出学校（包括老师）。我相信他们只要看到你的有毒废弃物，一定不会逗留太久。哈哈！

2. 对学校进行"小小"的改变。把锅炉改装成大型的炉子，记得要能承受1 300℃的高温燃烧，还必须有一根40米高的烟囱可以排放热气。

3. 别忘了在走廊装一条输送带，把废弃物送进焚化炉。另外，还需要一种特殊装备，除去烟中的酸性气体和有毒烟尘。

4. 向老师借一把扇子，把热气扇进烟囱……你累了吗？呃，焚化炉所需要的风扇其实非常大。

5. 你可以把不要的纸，例如家庭作业和考卷，通通扔进焚化炉，让火烧得更旺。

6. 你也可以利用炉子产生的热能烧开水，产生的蒸汽可以推动发电机，并产生电力。然后你就可以把电卖给朋友，赚到很多钱，投入你的邪恶计划……告诉你，要当一个邪恶的天才可要花不少钱！

为了让炉火旺起来……

呃？！

我们需要更多的作业本！

呃，科学家正在努力研究别的处理方式，让你的学校不需要焚烧好几吨的有毒废弃物。某些特殊的植物，例如高山遏蓝菜，可以从被污染的土壤中吸收有毒物质。

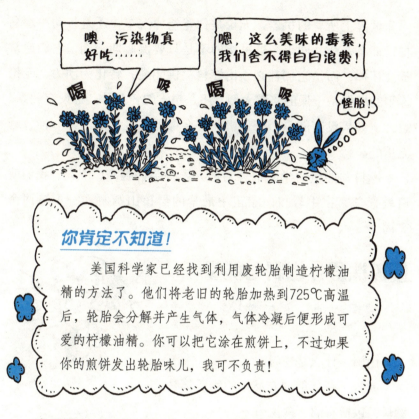

你肯定不知道！

　　美国科学家已经找到利用废轮胎制造柠檬油精的方法了。他们将老旧的轮胎加热到725℃高温后，轮胎会分解并产生气体，气体冷凝后便形成可爱的柠檬油精。你可以把它涂在煎饼上，不过如果你的煎饼发出轮胎味儿，我可不负责！

　　谈到能量，地球大胃王还有一个更惊人的绝招，不过不想现在告诉你，以免破坏了你的好心情。让我们到下一章再做这件事……

邪恶的能量

世界上所有的机器，无论是你爸爸的汽车，还是自动冲水马桶，都有一个共同点。这里指的不是只要保修期一到，它们通常都会坏掉，而是它们都必须由燃料提供能量，转化为动力，无论你用的燃料是干燥的骆驼大便，还是超人的氪晶体，都没有关系。总之，如果没有能量，任何机器都会像无法说话的老师一样，毫无用处。

燃料与能量的学问很容易把人弄得头昏脑涨，现在，我们就请教育学家崔牛教授向宇宙中最笨的男孩山姆解释一下这两个名词。

傻瓜课程：燃料与能量

天才

授课教师：崔牛教授

学生：山姆

山姆：什么是燃料？

教授：任何能储存能量的物质都是燃料，包括石油、食物……

傻瓜

山姆：难怪我每次吃完大餐，就觉得"燃"起希望。

教授：哈哈……不好笑！

山姆：什么是能量？那是我在早晨缺少的东西吗？

教授：能量就是做功的本领。

山姆：我的老师说我没有做功课的本领。

教授：跟你的功课没有关系……"做功"，指的是用力推动物

体移动一段距离。能量除了做功，还可以使物体的温度上升。

山姆：我每天走路上学，都需要消耗能量，需要做功？

教授：正确。

山姆：我爸爸说我们要节约能源。为了节约能源，我可不可以不要上学？

教授：呃……

山姆：我可以吃巧克力棒吗？我觉得身体的燃料不足……

教授：够了！下课！

地球大胃王会从各种形式的燃料中获取能量，包括木材、煤炭、石油和气体燃料。燃烧汽油会产生热（别惊讶到大口喘气，你的牙齿可能会因此掉下来），热能可以推动涡轮发电机和其他可以做功的机器。

你是能量充沛的科学家吗？你脑袋的燃料充足吗？

能量充沛的小测验

请把每种燃料和它的来源配对。注意！其中有个答案和感冒病毒一样毫无用处……

燃料：

1. 木　材

2. 气体燃料

3. 石　油

4. 煤　炭

可能的答案：

a）牛的肠子

b）在恐龙时代死亡的海底小生物的尸体

c）死鱼，如果你抓得到

d）3亿年前称为木贼的大型植物的遗体，这些植物比恐龙还老，也比食古不化的老师还老

e）树

1. e）。嗯，你答对了，木头人！

2和3都是b）。甲烷是气体燃料中可能的成分之一，同样的气体可以在牛打嗝和放屁时找到，所以如果你的答案是a），我可以给你半分。不过，我想没有人想用牛放的屁或是打的嗝来启动机器。

4. d）。虽然鱼油可以点灯，不过c）是没有用的答案。

现在要谈另一个发"烧"话题。当你放火烧东西时，无论是一桶石油还是一张零分考卷，你都制造了污染物，而所有的污染物都含有对健康不利的物质。此外，在任何情况下，吸入烟都是很笨的行为，不管这股烟是来自香烟、汽车废气或是邻居燃烧的骆驼粪便。人类从很早以前就会用火烧东西，以下是一段简短的时光旅行。（温馨提醒：旅途中最好屏住呼吸。）

过眼云"烟"的历史

100万年前 人类的祖先开始用火烹煮食物。20分钟之后，他们就把晚餐烤焦了。

可恶！

2 万年前 住在俄罗斯和波兰的人都会用火焚烧长毛象的骨头，他们一定都是"烤"骨学家。

1306 年 工厂飘出的烟让英国国王爱德华一世很困扰，事实上这件事还令他鼻酸。

17 世纪 英国人燃烧的煤炭越来越多，还派小孩去清理烟囱。对于胆小的孩子来说，这项工作真危险。

妈，我终于成为人上人了！

19 世纪 煤成为蒸汽机的动力来源，而蒸汽机可以推动工厂的机器。许多儿童被迫操作这些机器，每天长达 12 个小时。

1859 年 美国人爱德华·德雷克在美国宾州开采石油。他从石油中提炼出点灯用的煤油。今天煤油可以作为喷气发动机的动力来源。

1879—1880 年 英国伦敦由于严重的空气污染，连续 4 个月被烟雾笼罩。后来，这类现象被称为……"伦敦雾"，真是有创意的命名呀！

1952 年 伦敦被笼罩在厚重的黄色烟雾中，数百人因为交通事故而丧命。烟雾和湿气混合在一起，产生的酸性化学物质对人的肺造成严重伤害，数千人死于肺病。

呼呼！
咳咳！
喘气！

20 世纪 70 年代 在美国洛杉矶，汽车排放的氮氧化物在阳光的照射下发生化学反应，使整个洛杉矶笼罩在烟雾中。

2008 年 因空气污染死亡的人数高达数百万人。

好了，现在你可以放心呼吸了！不过，只能呼吸 1 分钟，因为我们即将前往地球上污染最严重的地方，那里可是臭气熏天呀……

1. 飞机在高空排放污染物。

2. 煤炭燃烧所产生的烟混合了水蒸气，形成酸雨，这种有害的雨会伤害可爱的树木和古迹。

3. 汽车排放的废气制造了更多的酸雨。

4. 以煤炭或石油为燃料的发电厂，能源利用率只有40%，换句话说，有60%的能源都浪费掉了，而以气体燃料为能源的发电厂，也好不了多少。

欢迎来到窒息镇

完美得令人窒息

5. 炼油厂会产生上百种不同的有害物质，对空气和水造成污染。

6. 汽车排气管会喷出微粒，这些有害的微粒会导致人类患上心脏病或呼吸道疾病。

7. 只要在发电厂、工厂或汽车发动机中燃烧燃料，就会产生二氧化碳。我将在下一章介绍这种可怕的气体。

你能成为科学家吗

美国科学家曾经在洛杉矶测试汽车废气中微粒所造成的影响，他们把汽车拖带的活动房屋停在繁忙的大马路边长达数个星期。猜猜看，他们叫谁去呼吸这些又臭又危险的气体？

a）其他科学家

b）他们的小孩

c）老鼠

c）科学家发现，中等大小的微粒造成的伤害最大，因为它们会跑进肺的最深处，而且在那里停留最久。

越挖越深，越来越糟

本章要挖掘的主题比垃圾场还深，一直到达煤矿的底层。你可能会认为既然污染会对人体造成可怕的影响，而且燃料快用完了，工厂老板和政府应该会少用一点儿燃料吧？嗯，因为你很理智，所以你会这样想，不过事实上，人类现在使用的燃料比以前更多！

因为整个世界已经重度依赖燃料，尤其是石油。为了证明这一点，我们将拜访电视自然节目主持人郝冶寿的浴室，以及比他聪明得多的宠物——小猴。

郝冶寿领衔主演：《一贫如洗》

想象一下，如果把冶寿的浴室搬到一个没有石油的世界……

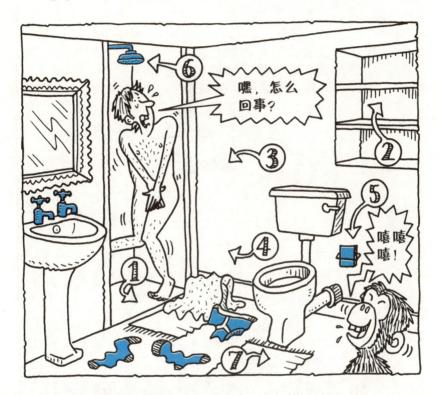

1. 没有浴帘，因为它是塑料的，而制造塑料需要石油。

2. 没有洗发精、除臭剂或沐浴乳，因为它们的瓶子是塑料的。毫无疑问，没有塑料，生活将闹得不可开"胶"。

3. 没有油漆，因为它的基本材料是石油。

4. 没有暖气或灯光，因为没有燃烧石油的火力发电厂。

5. 没有卫生纸。因为没有能源，无法造纸，而且如果卡车没有燃料，也没办法运输卫生纸。

6. 没有莲蓬头或塑料浴缸。

7. 当然，也没有塑料小鸭。

1. 从 1990 年到 2004 年，全球飞机的航班增加了 120%，而且预计到 2030 年，航班次数将变成 1990 年的 3 倍。

2. 整个世界每年要消耗 40 亿吨的石油。

3. 人们每年购买的电器越来越多，从计算机到电动挖耳勺，什么电器都有，而所有的电器都需要电能，这意味着我们需要更多的发电厂。

4. 人们购买的汽车也越来越多。20 世纪 60 年代，全美国有 7000 万辆汽车，但是到了 2008 年，已经超过 2 亿辆。在美国，每位司机每天平均行驶 65 千米，所有司机每天总共行驶超过 175 亿千米。我想，如果一次开了这么远的车，一定会很想上厕所。

5. 房子比以前更大更温暖，所以也需要更多的电力。

6. 越来越少的人愿意走路或骑自行车。因为街道越来越吵、越来越臭、越来越危险，灰尘也越来越多。

2008 年，全世界高污染的大型发电厂已经超过 5000 座，高污染的大型工业区也已经超过 3000 处，而且还在不断地兴建新的。地球大胃王拼命地消耗能量、吞噬煤炭、咀嚼木材、喝光石油，但它做的坏事并不仅是发出臭味而已，它还改变了气候，而且情况非常不妙……

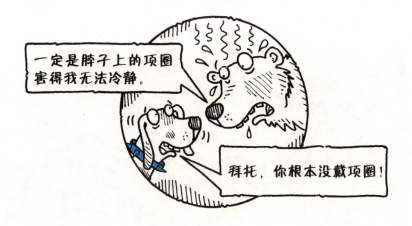

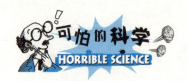
疯狂的气候

到目前为止，我们看到地球大胃王（也就是全世界的农业、运输业和工业等）一直忙着把矿产和燃料吞下肚，然后把它们转换成污染物、垃圾和有毒的废弃物。如今，世界上的燃料即将用完，却留给地球许多头疼的问题……

几个有用的专有名词

天气：你每天正在经历的晴天、阴天、下雨、下雪，都是天气。

气候：长时间内天气变化的综合现象。

大气层：地球表面的一层空气，包含可怕的温室气体（参阅第42~45页）。虽然天空很广大，但大气层相较之下却没有那么厚。如果你可以开着汽车直冲云霄，10个小时之后，就可以离开大气层，抵达太空；如果地球像沙滩排球这么大，那么大气层的厚度只相当于排球上的一层颜料而已。

温室效应：大气层就像温室的透明玻璃，可以让地球变暖。不过你可别指望靠它让地里长出硕大的南瓜来。

全球变暖：全球平均气温上升的现象。

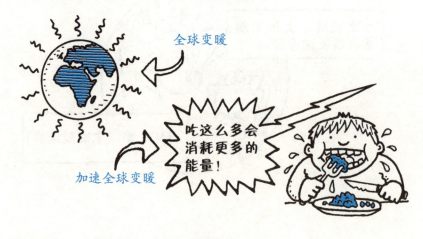

刁难老师

用手指在教师办公室的门板上轻轻敲几下。等到老师开门时，用你最灿烂的笑容让她失去防备，然后很有礼貌地问：

听说全球变暖会使一天的时间变短，那我们可以早点儿放学吗？

喷口水

答案

你的老师说好的概率大约是0.0000000001%……说真的，根本不可能！不过，全球变暖确实使地球自转加快，让一天的时间变短了。因为当地球的海水温度上升后，水会往两极方向流动，于是造成赤道部分的半径缩小。你的老师应该不知道这件事……不过另一个可能的情况是，全球变暖加速了西风，使一天的时间变长。两个可能完全可以两相抵消。一天时间的变化量其实非常微小，所以实在没必要大惊小怪，除非你正好是个超级无聊的科学家！

当然，我们可不像那些科学家！我们没有那么无聊，我们要勇往直前，直接面对肆虐全球的温室气体帮派成员。

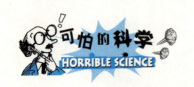
温室气体帮派成员

臭屁探长撰写的温室气体犯罪实录

官方档案……严禁坏小孩阅读！

1. 二氧化碳

秘密代号（化学家惯用）：CO_2

描述：1个碳原子，还有2个讨厌的氧原子小喽啰。

犯罪习惯：它是温室气体帮的老大，无论什么东西发生燃烧、腐烂或死亡的现象，这个坏蛋都会现身。

已知巢穴：这种气体大多数会被植物"捕获"，长达数年之久。依照我的看法，最好就让它们永远待在那里，不要招惹它们！胆小的那部分气体也会躲在海洋里。

已知罪行：如果它们从海洋或植物中脱逃的话，就会进入空气中，在那里鬼混约100年。目前科学家已经掌握证据，认为它们要为全球变暖负25%以上的责任。

危险等级：对人类有害！根据科学家的侦察，这种可怕的气体会挤掉空气中的氧气，害得我们窒息。大家都很讨厌这种气体，但是每种动物在消耗能量之后，都会吐出二氧化碳。

别说我们没给你们温暖！

2. 甲 烷

秘密代号：CH_4

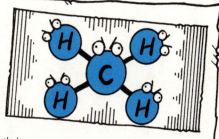

描述：它们看起来就像一群面目可憎的暴徒，对不对？每个甲烷分子由1个碳原子和4个氢原子狼狈为奸组合而成。

犯罪习惯：科学家曾经找到目击证人，证实它们经常在化石燃料的油井、稻田和垃圾场附近鬼鬼祟祟。它们偷偷摸摸地混入空气中，一定是想干什么坏事。

已知巢穴：只要有东西腐烂，它们就会现身！可见它们真是一群恶心的家伙。另外，它们的巢穴还包括动物的肠子，那里有微生物可以制造它们。调查表明（作者的私人调查），牛每天打嗝和放屁会制造200升甲烷，绵羊制造30升，人类则制造100毫升，不过有些人似乎制造得特别多。哈哈！

太臭屁了！

警方的情报显示，甲烷有大批党羽潜伏在海底，乔装成冰状的结晶物质，因为可以像酒精一样被点燃，所以也被称为"可燃冰"。据说有更多党羽潜入地下……藏在北极地区的永久冻土带。

已知罪行：它们要为全球变暖负9%的责任。幸好，甲烷的党羽比二氧化碳少，而且只会在空气中逗留8年。

危险等级：和二氧化碳一样，这种危险气体会排挤氧气，害得我们无法呼吸……典型的谋杀行为！奉劝大家，尽量不要吸入腐烂垃圾的臭味！另外，因为这种气体会发生爆炸，警告大家如果看到牛屁股附近有任何火焰，都要尽快扑灭。

3. 一氧化二氮

秘密代号：N_2O

绰号：笑气

描述：1个氧原子带着2个氮原子，一起为非作歹。这是高度危险的组合！

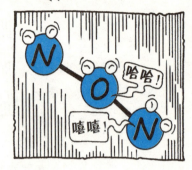

犯罪习惯：它们经常出现在制造尼龙的工厂和施氮肥的农田中。打雷闪电也会制造一氧化二氮。

已知罪行：对全球变暖的影响是二氧化碳的300倍，能在空气中停留长达100年，可随时制造麻烦。幸好它们不像二氧化碳那么多。

危险等级：嘿，有件关于笑气的新鲜事，这些坏蛋竟然也有善良的一面！N_2O常

常在医院里做"义工"，帮助医生麻醉病人，真是令人啼"笑"皆非。它们到底在玩什么把戏？

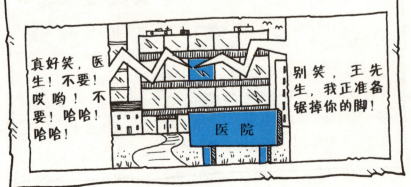

4. 其他小喽啰

以上是温室气体帮的众老大，而像它们这类超级罪犯，一定会吸引一些小喽啰，这些小喽啰本身也是令人讨厌的不良分子，它们包括：

▶ 臭　氧

由3个氧原子组成的强悍小喽啰。依我个人的观察，它们是一群阵前倒戈的叛徒。它们本来奉命在高空大气中阻挡来自太阳的紫外线，以保护地面上奉公守法的生物。可惜它

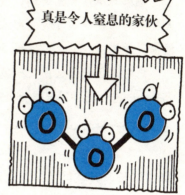

真是令人窒息的家伙

们之中有些不良分子跑到接近地面的地方，成为全球变暖的帮凶，使得它们在高空中做的好事也因此大打折扣。当汽车的废气与阳光发生化学反应时，它们就出现了！它们还会使无辜的人类患上呼吸道方面的疾病。

▶ 氢氟碳化物、全氟碳化物和六氟化硫

它们的秘密代号分别是HFCs、PFCs和SF_6。这些暴戾的温室气体成员，会在电冰箱的冷却过程中现身，或是在发胶和杀虫剂里鬼混。要我说，宁可把头发剪短，并且用老式苍蝇拍打苍蝇，也不愿意跟它们扯上关系。

别靠近我的炸鸡！

HFCs

PFCs

SF_6

你肯定不知道！

当地球温度逐渐升高，会有另一种温室气体大量进入大气中，那就是从温暖的海水与湖水表面蒸发的水蒸气。根据科学家的说法，这个现象要为全球变暖负约65%的责任！想想这代表什么：天气越热，就有越多的水蒸气进入大气……恶性循环！全球变暖促成了更严重的全球变暖！

臭屁探长要大家重视二氧化碳的危险性，他说对了。如果空气中的二氧化碳含量超过10%，就会要人命（幸好现在是少于0.04%）。1986年，这种气体的危险性得到了证实。这一年，非洲喀麦隆的尼奥斯湖附近的民众，完全不知道大自然已经把这座湖变成了一部残忍的杀人机器……

尼奥斯湖位于一座年代久远的火山口，里面蓄满了水，但是火山释放出的二氧化碳却被压力困在既黑暗又险恶的水底深处，情况就像你最爱喝的汽水那样。有一天晚上，某样东西……科学家也不确定是什么东西……扰乱了湖水。突然，一个充满二氧化碳的巨大气泡升上水面，这种气体静静地扩散到附近的村庄。当天晚上，尼奥斯村约1200人在睡梦中窒息而死。后来，人们发现他们的尸体长满了水泡，那是因为缺氧而导致血管受损的特征。

这里还要多谈谈与二氧化碳有关的事，因为这是大多数专家最喜欢空谈的主题。它真的很重要，要知道除了水蒸气，它是对全球变暖影响最大的气体。除此之外，它也是我们排放到空气中最多的气体，我们有责任控制这种气体。

在 21 世纪，我们呼出和排放到空气中的二氧化碳达到了空前庞大的数量。这种可怕的气体以每年 260 亿吨的速度增加，如果将这么多的二氧化碳分配给地球上的所有人，每个人可以分配到大约 4 吨。

这并不是说地球上的每个人每年都会多制造 4 吨的二氧化碳。住在贫穷国家的人制造得就很少，这些气体大多来自发达国家，那些国家的人们过着奢侈浪费的生活。

"那是什么样的生活呢？"你也许在小声嘀咕。嗯，让我们回到窒息镇，看看郝浪菲先生一家人的生活。他们对全球变暖要负的责任超过一般人的平均值。请看下面的深度报道。

郝浪菲一家的全家福

| 郝浪菲 | 郝大块 | 郝佳佳 | 郝太太 |

这家人制造温室气体的方式，和大多数发达国家的家庭一样，唯一的差别是他们制造得特别多！

1. 汽车：郝家共有9辆。1辆是郝先生的，1辆是郝太太的，另外从星期一至星期日，每天都有1辆备用车。每辆汽车每跑1千米就会消耗1升汽油。而郝家人凡出门必开车——即使只是跨过马路寄封信也要开车。

2. 房屋：他们的豪宅有42个房间。冬天为了保持温暖，每一间都开暖气，如果暖气太热，他们就开窗户；夏天则是整天开冷气，如果冷气太强，他们也会开窗户。所有这些机器都要消耗能量，也就是消耗电或天然气，结果就会产生可恶的二氧化碳。有时候，郝大块和郝佳佳两个人还会比赛谁忘记关掉的电器比较多。

3. 假日：郝家人最喜欢乘飞机出国旅行，到世界另一端的某个海滩度假。在他们搭乘飞机的旅程中，每个人会产生4吨温室气体；飞机喷出的尾气形成云后，也会为大气留住更多的热量。

4. 工作：郝先生是一家超市的老板。最令他感到自豪的一点就是：超市内所有的灯光、冷气、冰箱和电饭锅永远处于工作状态，即使超市打烊了也不关。这样做会白白浪费很多电能，并且制造很多二氧化碳。郝太太是办公室职员，不管需不需要，她总是把所有办公设备全部打开。

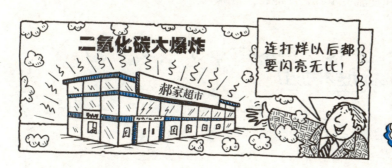

5. 食物：郝家人个个爱吃，而且认为食物多多益善，当然多多益善的还有快餐的包装袋。包装袋要为全球变暖负很大的责任，因为生产它们需要电能，而发电厂发电时会排放二氧化碳；等到包装袋被丢进垃圾场腐烂时，又会放出更多的二氧化碳和甲烷。超市中熟食的生产和包装也需要耗费很多能量。

郝家人每天都会吃很多肉！想想看，他们所吃的动物又制造了多少二氧化碳和甲烷。

为了健康着想，郝太太说服家人要多吃水果和蔬菜。他们吃的水果和蔬菜都是郝先生从超市拿回来的，但是其实它们是从几十、几百，甚至几千千米之外的产地运来的，因此大气中又多了好几吨的温室气体。

发达国家的人所吃的水果和蔬菜，大多数都经过比较长距离的运输。下次你到超市时，可以带个笔记本，把每种水果和蔬菜的产地记下来。你一定会发现，它们大多数经历了漫长的旅行才到达超市，因此在运输过程中也一定产生了不少的碳排放。就算是国内生产的水果和蔬菜，至少也都经历了几十千米的旅程，完成了包装、装箱和物流等步骤，才能抵达超市。

你肯定不知道！

2002年，英国有家超市贩卖从非洲肯尼亚进口来的蔬菜，但这些蔬菜上面都绑了一小株细香葱（一种生长在英国的植物）。原来，这些细香葱先从英国飞行了13 600千米到达肯尼亚，被绑在蔬菜上后，再跟着蔬菜飞回英国。这很酷对不对？我想它的植物朋友一定羡慕得脸都绿了！

难怪会产生二氧化碳的问题！

不过，事实上，很多二氧化碳是自然产生的，例如由土壤里的微生物所制造。过去，地球可以自行解决二氧化碳的问题，因为植物会吸收二氧化碳，并把这种气体转化掉。不仅如此，适当的温室效应对我们也是有利的：温室气体能让地球保持温暖，没有它们，你的卧室会像冰箱一样冷。但是……这个"但是"很重要……今天的地球已经无法处理地球大胃王所制造的过量的温室气体了！

为什么温室气体会使地球变暖？崔牛教授正要向山姆解释其中的科学原理，不过，要让山姆听懂，比你想用一箱冰激凌帮地球降温还困难……

傻瓜课程：全球变暖

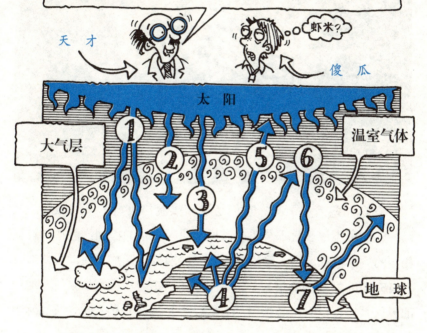

地球的大气层中含有约78%的氮气及21%的氧气，而温室气体加起来还不到大气的1%，但是它们的影响却非常巨大。

天才

虾米？

傻瓜

太阳

大气层

温室气体

地球

1. 阳光抵达地球后，其中的30%会被云层、尘埃、海面和冰反射。

2. 20%会被大气层中的气体吸收。

3. 50%会被陆地和海洋吸收。

4. 地表会以红外线的形式释放热能，而红外线会使你感到温暖。

5. 有些热能会逸散到太空中。

6. 有些热能被温室气体留在大气中，这些被留住的热使地球保持温暖。

7. 一旦地球变热，会产生更多的温室气体和水蒸气，从而导致地球越来越热。

当过多的热量在地球上到处流窜时，就会启动可怕的全球变暖效应。现在，让我们飞出地球，来一趟太空漫步吧！

看到那些箭头了吗？它们是风和洋流，决定了不同地区的气候。它们可不像天气那样善变，每个地区每年的风和洋流通常都朝相同的方向流动，借此输送热量，使沙漠保持干燥，使潮湿的地带拥有充沛的雨量。麻烦的是，它不像图书馆的中央空调系统，地球的天气系统也没有配备恒温器，所以一旦地球开始变暖，所有麻烦就会接二连三地发生。

这指的是什么呢？嗯，你可能会遭遇惹火的热浪，有些地方会发生可怕的干旱，有些地方却会出现大规模的融冰或洪水。喔，你看我多笨，居然忘了脾气最暴躁的暴风雨！本书的后面几章将为你描述所有可怕的细节……

惹火的热浪

你遭遇的最热的一天有多热呢？嗯，除非你曾经在夏日被关在密闭的汽车里，不然最热的一天顶多让你损失几滴汗。但在未来几年，你可能会损失更珍贵的东西。想知道为什么吗？

我们先请崔牛教授解释一下什么是热。他不屈不挠的教学热情真令人敬佩！可惜，连马铃薯都比他那个学生聪明……

傻瓜课程：热

热是什么？和饿有关吗？

完全没有，山姆！想象现在有一个分子，我们把它扔在一个烤盘上，用炉火烧它，这个分子就会变热……

看吧！明明就跟饿有关！你烤的时候可以加一点儿香肠和炒蛋吗？

不，不，没有香肠和炒蛋！分子的振动会越来越快，同时产生红外线。这就是热的来源：振动的分子和辐射。

就像爆米花一样跳动吗？

对，但是你不必做这个实验，山姆，快把锅盖盖上！噢，天哪，我要打电话叫消防车了。

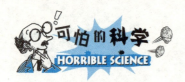

我知道你们比山姆聪明，不过你的热能知识又能高到几度呢？你是炙手可热的专家，还是冷漠的门外汉呢？

你能成为热能的专家吗

18世纪的科学家查尔斯·布莱格登（1748—1820）曾经进行了一个有关热的实验。查尔斯进入一间温度高达105℃（相当于滚烫的炉子的温度）的房间，在里面待了15分钟。他身边还带了一条狗、几只蛋和一片生牛排。猜猜看，接下来发生了什么事？

a）没什么大不了的，查尔斯被烫死了，但那条狗还活着，并且把牛排吃掉了

b）查尔斯没事，但是狗被烫死了，所以这个疯狂的科学家就把狗吃了

c）科学家和狗都活着，牛排和蛋被煮得恰到好处

答案

c）科学家和狗都活着，因为他们的身体会设法把体温降下来。不过，狗必须放进篮子里，否则爪子会被烫伤。

接下来要告诉你，如果身体太热会发生什么事。在你的大脑深处有块区域叫作下丘脑，能监测血液的温度。如果温度偏高，它会命令皮肤的血管扩张，以便散发热量。这时，皮肤还会流汗，当可爱的汗水蒸发时，会带走身体表面的热量，达到降温的目的。

你知道吗？幸好人体具有自动调节体温的功能，如果没有这项功能，你会因为高温而产生头痛以及幻觉。当体温较高时，人体会

停止流汗，皮肤会变得苍白并带点儿蓝色，还可能会发生呕吐或失明；如果体温上升到 42℃，大脑开始受损；到了 45℃，人就必死无疑。弄懂了这些事之后，我们就能搞清楚为什么科学家对全球变暖会如此困扰和火大……

2007 年，科学家宣布，有史以来最热的 10 年，居然有 8 年发生在过去 10 年之中。而且在过去 100 年内，全球平均温度已经上升了 0.74℃。这听起来好像没什么，但是地球对温度的变化其实很敏感。如果你把地球的温度调低 6℃，它就会变成……

太空中的大雪球

没错，而且地球将再一次进入冰川期。如果你把地球的温度调高 3℃，就可以使北极的海冰全部融化，然后我们就可以跟北极熊说拜拜了！

我这个暴脾气哟！

温度上升并不总是会造成热浪，只有在大城市才会发生，因为大城市中到处是铺沥青的马路、铺地砖的人行道以及建筑物，它们都会在白天吸热，然后在夜里散热。换句话说，在炎热的天气里，大城市的散热效果比乡村差，科学家称这种现象为"热岛效应"。

不过，城市不只会变热，还会变大。1900 年，全世界大约有2.5 亿人（大约是世界总人口的 1/4）居住在城市里。100 年后，全世界 60 亿人口中将有一半是城市居民。不仅如此，世界上最大的几个城市还在持续扩张。按照目前的扩张速度，热岛很快就会变成热大陆。

当然，热浪现象一直都存在。20 世纪 30 年代，美国发生的热浪对土壤造成了不良的影响，不过我要到下一章再告诉你们细节。现在让我们先回到 1896 年，那一年发生在美国纽约的热浪造成 617 人死亡，在街头留下许多具发臭的马匹尸体。（当年的人们利用马作为交通工具，如果发生在今天的话，应该是留下许多汽车的尸体。）

现在，全球变暖的问题越来越严重，热浪的威力也越来越狰狞，只要看看欧洲在 2003 年所发生的惨剧，你就会明白了。（建议你在阅读之前，先为自己倒一大杯冰水。）

世界末日 报

今日话题

- 太阳——你晒够了没?
- 火热的时尚套件

2003年7月

享受艳阳高照的乐趣

感谢全球变暖，欧洲人享受了史上最热的夏天。

数千人涌向地中海的沙滩，海水像浴缸里的热水一样烫。在灼热的阳光下，冰激凌与冷饮都热卖!

老人被热死

据悉，有许多老人在这波热浪中被热死。本报呼吁读者们要多注意家中的老爷爷、老奶奶。

老人家不像我们年轻人那么能流汗，所以别把他们锁在汽车里，还要记得随时帮他们倒一杯茶。

冷酷牌冰激凌

共有174种美妙的口味供你选择，每球只要10元!

即刻享用

世界末日报

2003年8月

今日话题

☀ 炎热——脑子被烤坏了没?
☀ 这是世界末日吗?

发烧新闻

要命的热灾

我们快被煮熟了!日复一日,热浪一波又一波,情况越来越令人绝望!本报的编辑已经穿着短裤和网状背心来上班了,连公司的计算机都热得快熔化了,猫则躲在冰箱里!情况还能更糟吗?能……本公司的空调发生故障了!

有些人因为身体无法及时散热,在睡梦中热死,老人、小孩和穷人最容易发生这种危险。在法国已经有约15000人热死,德国和荷兰的死亡人数也不少。有些人干脆住到购物中心去,只要是有冷气的地方就好。但现在又有新的威胁出现了:空气污染。

汽车尾气中的污染物在高温、静止的空气中累积,使人们呼吸困难。某位顶尖的科学家说:"这些污染物……咳咳……是由汽车排气管排出的……咳咳……臭氧……咳

咳……含硫污染物……咳咳……以及微粒所造成的……我不能再说了,我需要氧气!"

对于这种情况,我们不知道还要忍受多久!求老天爷,让下次冰川期快点儿到来吧!

最新消息

巴黎的殡仪馆已经爆满,因为热浪而死亡的尸体不得不存放在帐篷里。

冷酷牌
冰激凌

最后一球冰淇淋(其他的都被抢光了),仅售10万元!

呃,抱歉,它刚刚融化了。

更让人吃惊的是，正是由于全球变暖，某些科学家才意识到未来这种热死人的天气可能每隔一年就会侵袭欧洲一次。而世界上其他地方的未来也是一样凄惨。1995 年的美国芝加哥，在酷热的一周之内，热死的人数超过 700 人。

很明显，这些地区的人只要不想被热死，都会对未来感到沮丧。那么我们能为他们做些什么？是不是应该花钱把每个人送到海边去？是不是应该为每个人买一部空调？问题是这样做只会消耗更多的能源，而且造成……你答对了……更严重的全球变暖。应该找到更好的办法……

纯古法居家降温绝招（住屋篇）

欢迎加入粪土俱乐部

英国西部乡村早期的农舍是用厚重的粪土墙砌成的，不仅外观出众，而且夏天可以保持凉爽！

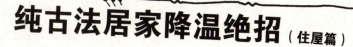

今年夏天"粪"外凉爽！

注意事项

这种墙是用干燥的黏土、草、动物毛发和粪便所组成的……喂，谁说你可以在墙边上厕所的！这种厚重的墙在夏天时可以把热挡在屋外，在冬天时又可以把热留在屋里。

何不变成山顶洞人

何不尝试住在豪华的洞穴中？它们既舒适又隐蔽，最适合喜欢幽静的人，这里真的很棒。

老兄，这里又冷又酷！

复古风居家冷却技术

这种日式拉门会让凉风穿透你家（不过别让陌生人跟着穿透你家）。

视野也很好！

我们都听到风声了！

用风斗制造凉风

学习巴基斯坦海得拉邦市的居民，利用风斗收集清凉的气流！

改变你的作息时间

如果可以打个盹，为什么要在大太阳底下受苦？在一天当中最热的时段，去睡午觉吧！不过要记得一大早就起床工作，晚上也要加加班，那是一天中比较凉快的两个时段。

ZZZZ ZZZZ ZZZ!

不会满头大汗！

穿戴整齐

别在太阳下脱光衣服！那样你会更热，还会因为晒伤而脱皮。你应该穿上宽松、浅色的阿拉伯式衣服以保护你的皮肤，并让空气在布料底下对流散热。

你肯定不知道！

基于同样的理由，骆驼最厚的毛就长在它的背上。这些毛能保护骆驼不被阳光晒伤，并使它保持凉爽。所以当你把骆驼的毛剃光，它会觉得更热，而且需要喝更多的水。

这些保持凉爽的传统方法真的有效，而英国人 20 世纪初在非洲和印度使用的方法就笨多了……

古帝国杂志

1899年

烈日下的保护措施

大家都知道，太阳会发出一些看不见的射线，穿透你的头盖骨和脑脊液，害你发疯。所以你需要这项史上最新的发明——头脑冷静安全帽，以免你的大脑被烤熟！

帽子上的金属片可以屏蔽太阳的射线

遮阳伞可提供更完备的防护

保护眼睛的安全眼镜

垫在衬衫底下的材料可以保护肋骨

哈哈！

我的脑部从来不曾保护得这么周全。我想印第安人一定很忌妒我，因为他们一直对我指指点点，而且一直对我傻笑。

——非洲邵根筋上校

没错，你猜对了！会害人发疯的隐形射线根本不存在。事实上，如果你真的穿上那套服装，可以证明你早就疯了。如果热浪把你逼得团团转，在本章即将结尾的此刻，我们将带你到这样的一个地方：那里有蔚蓝的海洋，白色的沙滩，棕榈树迎风摇曳，还有椰子汁管你喝到饱。郝冶寿和小猴要在那里拍摄他们最新的电视专题片——《冶

寿的野兽朋友》，我们将去参加他们的拍摄工作。现在，他们正在探索珊瑚礁。珊瑚礁是世界上的奇景之一，由数百万只名叫珊瑚虫的小动物的骨骼堆积而成。这些小动物和一种名叫藻类的生物，形成一种愉快的合作方式。请继续阅读下去……

郝冶寿领衔主演：《焦虑的珊瑚礁》

热浪已经严重破坏了珊瑚礁。事实上，地球大胃王也脱不了干系：制造各种污染，过度捕鱼，还有人们贩卖珊瑚纪念品给观光客，这些事件加在一起，造成了珊瑚礁的毁灭，让可怜的珊瑚虫陷入无底深渊。到了 2008 年，世界上超过 16% 的珊瑚礁都被破坏了。

下一章，我们要回到旱地去谈谈另一件麻烦事……没错，我指的是非常干燥的陆地！

凶猛的旱灾

你有没有听过"鱼与熊掌不可兼得"？意思是说，你不能既躺在床上又到海边去玩。不过全球变暖倒是可以造成两种完全相反的后果！它会使地球变得既多雨又多干旱。

刁难老师

鼓起你的勇气，用很酷的节奏敲打老师办公室的门。当门打开时，对着老师微笑，然后提出下面这个难题：

请问您，为什么全球变暖会同时造成旱灾和水灾呢？

大多数老师都没想过这个问题，所以你很容易得逞！你的老师可能会开始假装喝茶看风景，甚至把杯里难喝的茶都打翻了。在这种情况下，你可以再追加一个更致命的难题……

是不是就像这杯热茶的蒸汽害得您眼镜起雾呢？

正确的回答是：对！当你告诉她正确答案时，可能会看到老师气得耳朵冒出蒸汽。全球变暖会造成地球温度上升，热空气会使植物和土壤中的水分蒸发，从而引发严重的旱灾。再想想老师的茶，热会把水变成水蒸气（也就是让你感觉潮湿的空气）。同样的道理，温暖的海水也会提供大量的水蒸气进入大气。而当这些水蒸气上升，遇到冷空气时，水蒸气就会凝结成小水滴进而形成云，就像老师眼镜上的雾气。猜猜看，接下来会发生什么事？没错！下雨！一直一直下雨！

所以，全球变暖可能会在不同地区分别引发旱灾或水灾。无论是哪一种灾难，你都可以怪罪一个小婴儿……不，傻瓜，我说的不是你的小弟弟，我说的是一种称为"圣婴"的现象。圣婴这个名词在西班牙语中是"小男孩"的意思，但是这个小男孩却能造成全世界的气候异常。依我看来，这个名字取得真好，圣婴现象就像一个顽皮的小男孩一样，把整个世界闹得天翻地覆！

※要命的信息大爆发

▶ 在正常的情况下，南美洲的秘鲁沿岸会有一股寒流经过，从而带来干燥的冷风，可以使南美洲西海岸保持干燥。

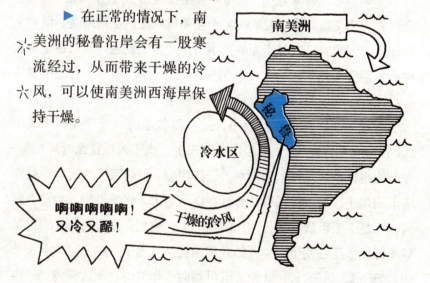

南美洲

冷水区

啊啊啊啊啊！又冷又酷！

干燥的冷风

秘鲁

▶ 发生圣婴现象时，风向改变了，海水变得温暖。

▶ 原本干燥的沿岸地区下了很多雨（更别提洪水和山崩了），但是却导致其他地区大面积发生旱灾……

不过更坏的消息是，有些科学家认为全球变暖使得圣婴现象越来越强烈。

干旱给农民带来苦难，农作物会枯萎凋谢。过度干燥的天气也会造成尘土飞扬，致使大量的尘土被强风吹走。更糟的是，世界上有许多地方的农民在对干燥的土壤造成更大的伤害，他们在干地里种植了需要大量水分的作物（例如小麦），他们任由牛儿把田里的草吃光。这一切的最终后果就是形成沙尘暴。

想象一下，你住在沙漠中，这是很普通的一天，既炎热又干燥。沙漠就是这样的。你甚至想不起来上一次下雨是什么时候！嗯，今天你也见不到任何一滴雨水。一阵粗暴、炎热又干燥的风卷起你脚下的尘土，细沙和砾石纷纷打在你的脸上，你的眼睛开始觉得刺痛，可是尘土仍然不断打在你的皮肤上。突然，你感到有危险！某些不好的事正在发生。你开始奔跑，但是太迟了，远方有一条长长的、黑暗又肮脏的云，就像一道可怕的干燥波浪，一边旋转、一边翻滚，笔直地向你冲过来……

你开始咳嗽，并且用手捂住嘴巴。但是你整个人被笼罩在一片沙尘之中，呼吸困难。你既惊吓又恐慌，却无法呼救。眼前只见一片黑暗又肮脏的黄色，不过很快地，你就什么都看不见了，耳边只能听到风的呼啸声，你的眼睛、鼻子和耳朵里全都是尘土。你好不容易挣扎着走进屋子里，屋内也全是尘土。你摸摸自己的脸，皮肤有点儿痛，眼睛也觉得刺痛。在昏黄的灯光下，一切显得既暗淡又吓人。但是你还算走运，因为你刚刚熬过一场沙尘暴。

尘土飞扬的细节

20 世纪 30 年代，美国中西部地区发生旱灾，一大片土地变成了尘土飞扬的灾区。土壤被吹走了，房屋被沙子掩盖了，飞扬的尘土还使不少人得了致命的肺病，有些可怜的马竟然被沙子活埋了。美国东部也覆盖了一层尘土，有些尘土甚至飞落到了总统的办公桌上。

21 世纪初，澳大利亚发生的旱灾则和圣婴现象有关，造成小麦收成锐减，并害死数百万只倒霉的绵羊。

非洲南部和撒哈拉沙漠东部每隔一段时间，就会受到致命的旱灾袭击。因为圣婴现象、过度放牧以及战争等因素，使得干旱的情况更加恶化，引发了可怕的饥荒，造成数百万人死亡。

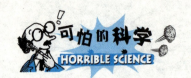

你肯定不知道！

1902年，当澳大利亚发生干旱时，科学家克莱门·瑞格想到一个愚蠢的点子，可以让老天爷下雨。他计划对天上的云发射炮弹，制造小型的气流，使天上降下雨水。不幸的是，他的努力只制造了一点儿毛毛雨，而且还把两门大炮都炸坏了。

和过去一样，人们会尽一切努力对抗干旱，但也和过去一样，有些努力没有什么效果。例如为了防止土壤干涸，农民会从河中取水进行灌溉，但是这样做却会造成河水的枯竭，引发另一个地区的干旱。现在请你观赏下面这段趣文，希望能让你干笑几声。

可怕的假期之旅
欢迎来到咸海

我们有阳光、沙滩以及……更多的沙滩！

☼ 享受亚洲最大的湖泊……呃，它曾经是……

☼ 目睹许多船搁浅在离水数千米之外的地方，壮观得足以令你目瞪口呆。

☼ 猜猜看，水到哪里去了？

☼ 第一个找到湖泊的人有奖！

20 世纪 30 年代，人们为了灌溉棉花田，把原本汇入咸海的河流改了道。今天咸海的面积只有过去的一半，干涸的地区是一片咸化的荒地。问题还不止这些，当一条河流流经好几个国家，只要其中有一个国家希望取得比别的国家更多的水资源，就会引发争议。

你肯定不知道！

澳大利亚工程师杰克·布莱德菲尔曾经想到一个对抗干旱的妙点子：为什么不把澳大利亚的艾瑞尔湖流域淹没成一片内陆海呢？这个内陆海应该会使空气潮湿，并增加降雨量。但是专家们认为这个方法不会奏效，于是这个疯狂的点子因为得不到支持而被忘得一干二净。

事实上，对抗缺水比较合理的做法是借鉴干旱国家已经实行了几百年的老方法：

▶ 节约用水。收集雨水来浇花或灌溉菜园；洗澡水可以用来冲马桶；采用淋浴比泡澡更节能省水。还可以利用堆肥场，把大小便变成没有臭味的堆肥，然后作为菜园的肥料。

▶ 多种树可以保护土壤。在非洲的尼日尔，人们种了两亿棵树，确实阻挡了沙漠的入

这些菜全都是用我们自己的大小便施肥的！

侵，而这种手段根本不是什么新科技！20 世纪初，津德尔当地的苏丹王下令，任何人若是砍掉一定数量以上的树木，他们的手就要被砍断。我想苏丹王为了保护树木，真是不择手"断"！

▶ 种植谷物以及饲养动物时，尽量选择不需要太多水分的物种。在干燥的条件下，仍然能够生长得很好的植物有小米和高粱；不容易口渴的动物则包括山羊及某些品种的绵羊。喔，对了，还有骆驼。

不过，即使在人类努力对抗干旱及沙漠化的此刻，全球变暖又发动了另一种可怕的突袭：森林大火。当一座森林或灌木丛变得非常干燥时，即使是最微小的火花，也能酿成森林大火。事实上，森林大火并不是什么新鲜事。以澳大利亚红毛刷以及美国小干松为例，它们的种子如果没有被火烧过，甚至无法发芽。但是圣婴现象使得森林的干旱更加恶化，使森林大火的次数创下历史纪录。

火灾越多，代表燃烧所制造的二氧化碳越多；二氧化碳越多，代表全球变暖将越严重；变暖越严重又导致火灾变多……我们现在需要一场倾盆大雨！喔，这看起来不会很难呀……我们在下一章就会遇到一场大雨，而且是一下就不肯停的暴风雨……

洪水与暴风雨

每天，都会有 3 亿吨淡水落在地球上，水量相当可观，即使你渴得像我们的骆驼朋友一样，也需要花 1000 万年才能喝完这些水。（没错，科学家们真的计算过！）

幸好这些雨不是全部落在同一个地方！不过，有些地方就是比其他地方容易下雨。不，我说的不是学校运动会的会场，也不是户外乐园，以及任何你假日想去的地方。

可怕的假期之旅

体验史上最多雨的假期

别担心假日遇到雨！只要放松心情，就能好好享受淋雨的乐趣！我们还会提供免费的雨伞和重潜水装备（相信我，你会需要的）。

大家来泼水

快来印度乞拉朋齐地区，体验最浪漫的雨中漫步！在 1860 年 8 月—1861 年 7 月短短的一年中，这个地区的降雨量达到 20 447 毫米，保证让您的假期"游"哉"游"哉！

我明年还要来！

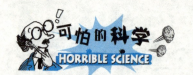

痛快淋漓

在过去的30多年里，哥伦比亚的罗洛镇每年的降雨量都超过12米。那里的雨声不是滴滴答答，而是噼里啪啦！

令人惊慌"湿"措！

欢迎光临！

谁说游泳要花钱

我们还会去拜访印度洋的团圆岛。1952年，当地在两天之内的降水量达到1 870毫米！如果谁想要游泳的话，只要打开门就行了！

或是只穿内裤！

别成为时尚的受害者

还在为昂贵的度假服装浪费金钱吗？快到夏威夷群岛的怀厄莱阿莱山去旅行吧。当地一年之中只有5天不下雨，所以你只要带雨衣和雨鞋就够了！

怎么回事？你不喜欢被淋得湿漉漉的，而且还得上了感冒？哦，别这样，全球变暖一定会带来大量的雨水，其中一部分雨水是顽皮的"圣婴"搞的，一部分是因为更多的热量会产生更多的水蒸气，所以会有更多的雨水和洪涝。科学家认为，在美国、欧洲、俄罗斯、南美洲和澳大利亚（澳大利亚其实不常下雨）的大部分地区，降雨或降雪量超过100毫米的天数增加了10%~15%。不但气候越

来越潮湿，在降水的日子里，降水量也越来越大。可惜雨并不下在干旱的地区，全球变暖才不会为我们想得那么周到呢。

如果降水量超过土壤所能吸收以及河流所能运走的量，那么就会发生水灾。幸运的是，大自然有一些巧妙的方法阻止水灾的发生，那就是……

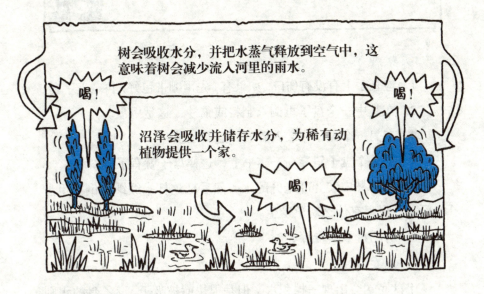

树会吸收水分，并把水蒸气释放到空气中，这意味着树会减少流入河里的雨水。

沼泽会吸收并储存水分，为稀有动植物提供一个家。

喝！

喝！

喝！

有胆你就试……让水灾恶化

你需要：

▶ 手套

▶ 量杯

▶ 两个不要的盘子（你也可以使用两个旧盘子，但在实验结束后，必须把它们洗干净）

▶ 一些肥料或是干净的猫沙

▶ 一些干净的碎石

▶ 两本厚重的书或电话簿

喵呜，我的猫沙呢？

严重警告

不要用猫沙盆做这个实验，否则猫可能会对着你喷尿！

实验步骤：

1. 检查手上有没有伤口，如果有，先用绷带包好，再戴上手套。

2. 在其中一个盘子里倒入肥料或猫沙，这是甲盘。

3. 在另一个盘子中装入碎石，这是乙盘。

4. 把每个盘子斜靠在一本书上，这样盘子就有了倾斜度。

5. 在量杯中装 300 毫升的水，然后把这杯水缓缓地倒在甲盘的顶端，观察有什么现象发生。

6. 对乙盘重复步骤 5。

你会发现：

甲盘底端会出现一摊积水，但是很快就被吸干了；乙盘的水则无法被碎石吸收，就像洪水一样倾泻而下。

原来如此：

土壤能吸收雨水，尤其是雨下得不太猛的时候。乙盘的碎石就像人造的马路和房屋，会使雨水迅速流过，比较容易发生水灾。

你们人类真的应该多多栽种树木，并保护沼泽。

真是"冰雪"聪明的北极熊！

嗯，你也认同冰雪的说法吗？可惜人类仍在忙着砍伐雨林、破坏沼泽、拼命地盖房子。你应该可以猜到这么做的后果：洪水将以各种古怪的方式毁灭人类……

有件事很可悲，人类没有足够的水会渴死，但是留在水中太久也会溺亡。然而，洪水最大的危险根本不是水，而是寒冷。想象一下，光是突然落入冷水的惊吓，就足以使心跳紊乱，导致死亡。不仅如此，当受害者沉入水底，惊吓会使他们更需要喘气，这可不是开玩"哮"的！

人体在水中散热的速度是在空气中的 20 倍，而且随着体温的下降，更容易喘气。人如果喘得太快，血液中二氧化碳的浓度将下降，使血液偏碱性（就是比较不酸的意思），这会导致肌肉变得僵硬而无法动弹，但他们这时候却必须游泳逃命，实在是糟糕透顶。即使他们熬过了寒冷，还有其他的危险存在，例如可能随着洪水撞到岩石或其他硬物上，然后粉身碎骨。

一旦水淹进屋子里，那就更有苦日子过了。水会渗进不能沾水的地方，比如电器，那要花好几个月才能弄干。水还有另一个可怕的特性：它会和所有的东西厮混在一起。也就是说，淹进你家屋子里的不只是水，而是污水、腐烂的垃圾、油、泥巴和有毒废弃物等混在一起的大杂烩，风味非常独特。

有无数个关于洪水的可怕故事，但是我想只要举下面这个例子就够了。1966 年，意大利的佛罗伦萨在两天之内的降雨量差不多有 500 毫米！因为森林已遭到破坏，雨水直接冲进亚诺河，淹没了整座城市。佛罗伦萨是世界上最重要的艺术品收藏地之一，但是那一年，它成了一座漂浮着许多名画的污水池。无情的洪水甚至冲毁了许多意大利名人的坟墓，包括科学界的超级巨星伽利略（1564—1642）。更悲惨的是，在这一次水患中，共有 159 人丧生。

你能成为雨的专家吗

在雨水的刺激下，世界各地诞生了许多荒诞的传说，但其中有些可能是真的。你能不能区别这些老人说的话，哪些是合理的？哪些又是天方夜谭？

答案

第一个，假的。对不起，要让本书的吸血鬼读者失望了。红雨可能是因为雨中含有红色的尘土，并不是血造成的。

第二个，真的。这是发生在美国新奥尔良的真实案例，当时龙卷风摧毁了一处墓地……

第三个，真的。关于青蛙和鱼出现在雨水中的传说非常多，可能是因为风把水中的生物卷起，然后落在陆地上。

你肯定不知道！

2002年，印度桑格兰帕村陷入一片恐慌之中，因为当地的建筑物及村民遭受了两场貌似"绿雨"的袭击，很多人猜测这"雨"是一种致命的化学武器。后来，这种恐怖的液体经过科学家检验后，证实是来自附近一大群蜜蜂的……排泄物。

不过，世界上还有比暴"蜂"雨更可怕的，那就是暴风雨；而世界上比暴风雨更可怕的，则是被称为飓风的超级暴风雨。麻烦的是，科学家认为全球变暖将使飓风的威力更加强大。下面是另一则要命的信息大爆炸，这次真的是大爆炸……

要命的信息大爆炸

▶ 发生在不同大洋上的超级热带气候雨，虽然名称不同，但基本上是同一回事……

飓风：发生在大西洋和北太平洋东部。

旋风：发生在印度洋。

台风：发生在西太平洋。

▶ 飓风发生在赤道北方或南方的海面上，发生条件是海水温度必须高于27℃。

▶ 由于全球变暖，海水越来越热，飓风的威力也越来越强，这是因为海水越热，飓风吸收到的热能就越多。

▶ 由高温的海水蒸发而成的水蒸气很容易造成大雷雨。然后飓风会在这个地区上方旋转，形成"台风眼"。你能不能在下图中找出台风眼的位置呢？

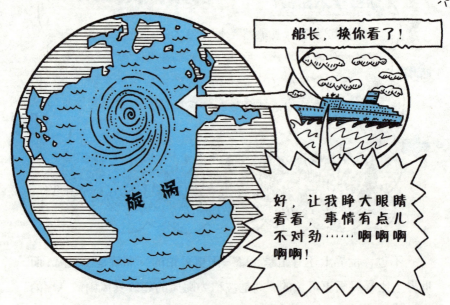

▶ 台风眼下方的气压比较低，会造成海面隆起。当隆起的海水抵达岸边，就会引发可怕的洪水。

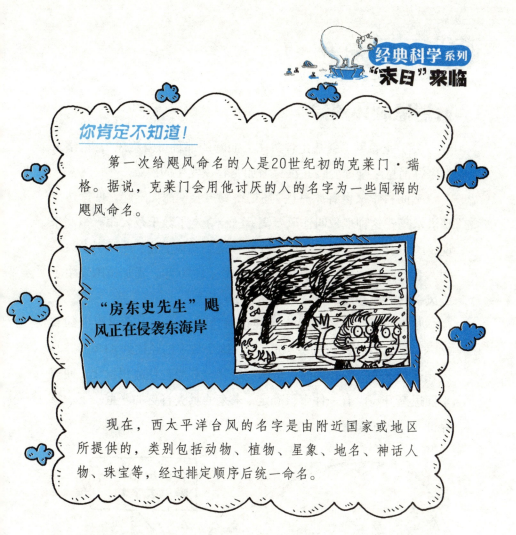

你肯定不知道！

第一次给飓风命名的人是20世纪初的克莱门·瑞格。据说，克莱门会用他讨厌的人的名字为一些闯祸的飓风命名。

"房东史先生"飓风正在侵袭东海岸

现在，西太平洋台风的名字是由附近国家或地区所提供的，类别包括动物、植物、星象、地名、神话人物、珠宝等，经过排定顺序后统一命名。

被困在飓风之中是地球人最可怕的经历之一。1992年，"安德鲁"飓风侵袭了美国佛罗里达州迈阿密市，当时研究飓风的科学家斯坦·高登伯格以及他的3个儿子、5名亲戚都陷在暴风雨中。斯坦说："我们当时真的很怀疑能不能活命，我们面临的恐怖景象完全超出想象。"

风声呼呼作响，墙壁摇摇欲坠，脑海中只有暴风雨和无边的恐惧。突然一声巨响，钉在窗户上的木板被扯断，玻璃碎了一地，狂风夹带着雨水灌进屋里。他们一家人吓坏了，想要躲到汽车里避难，却发现连车库都被吹走了。他们在厨房里蜷缩成一团，屋子里灌满雨水，屋顶不见了，突然有面墙轰然倒下，差点儿压死他们。

幸好最后他们一家人活下来了，但是"安德鲁"飓风总共造成65人死亡，25 000间房屋倒塌。

好消息和坏消息

关于龙卷风（就是让骨头从天而降的那种可爱旋风），科学家有个好消息：全球变暖并没有增加龙卷风发生的次数。

然而科学家也有坏消息：还记得飓风会使海面隆起，使岸边出现洪水吗？这种现象叫作风暴潮，已经夺走了数千条人命。举例来说，1900 年，美国德州的加尔维斯顿遭到飓风袭击，飓风引发风暴潮，大浪淹没房屋，夺走 8000 条人命；1970 年，孟加拉国发生了旋风引起的风暴潮，死亡人数超过 20 万人。

尽管如此，人们还是喜欢住在海边。1990 年，全世界大约有 1/3 的人口住在海边；到了 2002 年，这个数字已经达到 41%，并且还在逐步上升。与此同时，全球变暖轻轻松松地使冰川融化，使海平面逐渐升高。有一件事很确定：未来的洪灾将更加严重。下一章保证又冷……又湿。

大规模融冰

你做过的最无聊的事情是什么?

▶ 打开一罐豆子, 一边吃, 一边数着豆子有几颗?

▶ 花一整个下午和花园里的小精灵聊天?

▶ 上完整节自然课, 居然没有打瞌睡?

其实, 生活中再也没有比看着冰块融化更乏味的事了! 难怪当世界上的冰块都开始融化的时候, 大多数人都没有发现。不过, 人们实在应该多注意这件事, 因为这将导致严重的后果。我们要到北极和郝冶寿先生会合, 一起考察灾情……

郝冶寿领衔主演: 《北极历险记》

整个世界都在上升。

那是因为你正在下沉，全球变暖使原本冰冻的土地开始融化。

书上说，北极熊肚子超饿，因为它们无法在冰上打猎……

读者注意，这是冰雪！

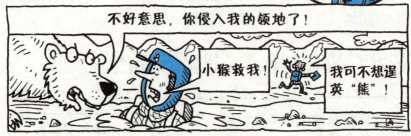

不好意思，你侵入我的领地了！

小猴救我！

我可不想逞英"熊"！

该看看一些冷门的数据了……

✳ 要命的信息大爆炸 ✳

▶ 世界上大部分的冰都存在于北极与南极。北极附近有片冰冻的海，叫作北冰洋，还有一块冰冻的岛屿，叫作格陵兰；南极附近则是一块冰冻的大陆，叫作南极洲。

北冰洋

格陵兰

南极洲

格陵兰？那是一种兰花吗？

喜欢兰花的外星人

▶ 由于全球变暖，和地球上其他地方一样，南极大陆的大部分地区温度上升，因此在这块冰冻大陆的边缘，大片大片的冰因为破碎而落入海里。

▶ 与此同时，北极的永久冻土（全年都结冰的陆地）开始变软。盖在永久冻土上的房屋和学校逐渐倒塌，这对屋主和校长来说是个大灾难，对学生来说却是件开心的事。

瞧把学生们给乐的……

学校

▶ 科学家认为，两极地区的变暖速度比地球的其他地区要快一些。因为两极上空的对流层比较薄，太阳可以使那里的温度快速上升。对流层是大气中最低的一层，也是发生天气变化的地方。不仅如此，冰会反射阳光，还记得第 51 页的内容吗？冰融化之后，没有冰覆盖的土地，温度将上升得更快。

北极的对流层厚8~10千米

赤道的对流层厚16~18千米

我满头大汗！从来不"层"这么火热过！

不仅两极的冰正在融化，世界各地的冰川也是如此。冰川是一种非常壮丽的景观，是高山的冰雪汇集起来所形成的。当冰川流经较低的地方，其中的冰会融化，但是如果高山持续下雪，持续补充冰量，冰川就可继续移动。有些冰川已经有几千年的历史了，但全球变暖不但会减少降雪量，还会使冰川温度上升。

也许你不是冰川迷，这种沿地面运动的巨大冰体的融化并不能使你冒冷汗，不过，你应该开始紧张了……全世界有好几亿人依赖冰川供应水源，冰川也哺育了亚洲地区的河流，例如印度的恒河和中国的长江。一旦冰川消失，这些河流在夏天就会逐渐干涸，可以喂饱几亿人的农作物就会跟着枯萎。

目前，科学家正在想办法拯救冰川，但是怎么救呢？嗯，你可以学习瑞士的做法：2005年，瑞士一处滑雪胜地为了抢救格胜冰川，利用一片巨大的隔热垫把它盖住，阻止它继续融化。嗯，当然这样的大工程会花掉很多钱。何不制造新的冰川呢？巴基斯坦人利用传统方法制造的冰川，可以为村民和他们的农作物提供足够的水。不过，如果你的学校刚好位于冰川移动的路线上，那就惨了……

坏孩子专用的科学计划

如何自制冰川压垮学校

冰川很漂亮，但是像我这种疯狂的科学家，对于它的破坏力比较感兴趣，冰川形成的隐蔽洞穴是我疯狂实验室的理想地点。

操作指南：

1. 你需要找一块位于半圆形悬崖下方、面向西北方、背阴的地方，而且最好每年冬天都会下雪。在这个地方铺满直径约25厘米的大圆石（如果当地没有圆石，你可以拜托班上的同学把石头搬到那里）。你选的地点最好位于学校的上方……很快你就会明白这是为什么。

2. 如果这个地方本来就有冰最好，如果没有，可以找找看地层中有没有冰。拜托你的同学用300千克的雪覆盖这块地，就形成了冰川。如果哪位同学不肯帮忙，就把他变成冰雕！

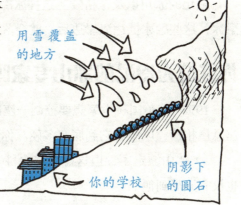

用雪覆盖的地方

你的学校

阴影下的圆石

3. 接下来,在雪的上面覆盖一些材料,使冰雪能保持低温。传统方法会使用木炭、锯木屑、坚果的外壳或碎布,不过如果你想用绞碎的学校制服或是零分考卷也可以。

4. 把一堆葫芦装满水,然后放在岩石和冰之间。如果天气够冷,葫芦里的水会冻结,当葫芦被撑破的时候,凝固的冰正好增加了冰川的冰量。你也可以顺便把仇人埋进冰川,只露出一个头。

5. 每年冬天都会有更多的雪落在你的冰川上,它越来越大,随着重量的增长,冰川开始向下移动,最后压垮你的学校,就像折断一根火柴棒一样容易!学校终于变得又冷又酷!

哗 啦

喔!不!上一所学校在永久冻土软化后刚倒塌,这一所是我才盖好的啊!

这个方法真的有效!不过有些扫兴的科学家认为,也许你选的地方本来就会形成冰川。

融化的冰川以及像格陵兰这种冰冷的地方,会带来几百万吨的融冰,这些融冰抵达海岸边后,就会落入海中,形成巨大的冰山。

你能成为冷酷的冰山专家吗

1995 年,美国科学家想要控制一座冰山。他们计划让冰山和一座悬崖相撞,以测验它到底有多硬。你猜发生了什么事?

a)冰山漂走了,但这群倒霉的科学家还站在上面,从此,再也没有人见到他们

b）无论他们多努力，冰山都没有破裂

c）在他们还没来得及测试之前，冰山就裂开了

答案

　　c）他们测试的第一座冰山裂开了，比较小的一座撞到另一座悬崖……也粉碎了。

你肯定不知道！

　　知道你一定不相信，不过德国科学家真的在2000年发现了一座会唱歌的冰山。真的！他们是在南极洲发现这座有音乐天分的冰山的。当时冰山在海床上搁浅，海水由冰山底下流过，因此发出一种令人愉悦的歌声……好啦，其实这种歌声太低沉，人类的耳朵根本听不到。但是如果把它的音调提高，听起来就会像恐怖片里的怪物所发出的尖叫。

听了会令人心"寒"

　　等等，突然想到一件事，冰雪在格陵兰过得好不好呢？嗯，我有一种不祥的预感，而且这个预感和永久冻土没有关系，而是与Z教授想统治世界的邪恶计划有关……

Z教授的邪恶计划（三）

　　到目前为止，这位邪恶的科学家以及他那同样疯狂的助手，已经收集了大量有毒废弃物。现在他们都在格陵兰，鬼才相信他们是为了日光浴去那里的……

　　但是等一下，这有可能吗？格陵兰真的会融化，造成大规模的洪水吗？没错，的确有可能！下面的实验可以证明格陵兰一旦融化，世界上其他地区的人就会急得像热锅上的蚂蚁。（好啦，其实一点儿都不热，而是冷死了！）

有胆你就试……让海平面升高

你需要：

▶ 两个小塑料盒（可以试试装外卖食物的盒子）

▶ 1壶水

▶ 2张纸巾

▶ 手套

▶ 直尺

▶ 橡皮泥或黏土

▶ 24块冰块

▶ 量杯

甲盒

乙盒

实验步骤：

1. 在接触冰块之前，先戴上手套，以免冻伤。

2. 把橡皮泥或黏土捏成一座岛，放在其中一个塑料盒里面，岛的高度必须超过盒口，把12块冰块摆放在岛上。如果你喜欢的话，可以把这个盒子命名为"格陵兰"，不过我们会叫它甲盒；你也可以把另一个空塑料盒命名为"北冰洋"，但我们会叫它乙盒。然后，把两个盒子分别放在一张纸巾上。

3. 把12块冰块散放在乙盒里。

4. 慢慢把水倒进两个盒子里，直到水满了，而且水面有点儿凸出来。慢慢来……小心不要把水洒在纸巾上！

甲盒

乙盒

5. 等候盒中的冰块融化，可能要花上一个晚上的时间哦。打起精神来！这点儿时间不算什么，科学家说，格陵兰的冰要完全融化可能要花上 300 年的时间。

6. 等到冰块完全融化后，比较两张纸巾的潮湿程度。

你会发现：

乙盒下面的纸巾是干的，而甲盒下面的纸巾是湿的。因为乙盒的冰加水后会浮起来，并排开和它同等重量的水，任何浮在水中的物体（冰块、轮船或是泡在游泳池里的你）都是如此。所以当乙盒的冰融化后，正好补充了它原先排开的体积，水面不会上升，但是甲盒的冰变成水后，都流入盒子里，于是水就溢出来了。

真实世界也是这样！当全球变暖的脚步加快，虽然北冰洋的海冰不断融化，但因为这些冰本来就浮在水中，所以海平面几乎不会改变；但如果换成格陵兰的冰全部融化，海平面将上升 7 米，导致大规模的洪水，使数百万人遭到不幸。

···· 重要科学现象 ····

不过即使冰没有融化，海平面还是会上升一点点的，因为随着海水温度的升高，水的体积也会增大。

谁会最惨呢？嗯，任何靠近海边的低洼地区，例如美国的佛罗里达州就可能会被水淹没。海水会冲进沼泽、淹没沿岸的城市，那表示当地的人和鳄鱼都得找地方搬家。此外，只要海平面上升1米，孟加拉国就会有1/4的领土沉入水底，造成3000万居民流离失所。因为台风的缘故，孟加拉国人的处境已经很危险了，海平面上升将使他们的处境更困难。但如果你以为这些听起来已经是很糟糕的事情了，那么还是等你拜访过下面这些地方再做感慨吧。

可怕的假期之旅

如果你喜欢到海边冲浪，你一定会非常喜欢希什马廖夫。在这里，你将会非常非常接近海浪……嗯，因为你可能就在海浪里……

希什马廖夫
不再冷冰冰

笑一个！

美国阿拉斯加州的希什马廖夫，本来四面被冰包围。但是由于全球变暖，冰开始融化，于是海水冲上岸，洗劫了低洼地区的村落。现在每一次暴风雨来临，居民们都提心吊胆！

最新消息： 我们刚刚听说这个村落在2004年已经封村。喔，别担心，本旅行社还有其他更刺激的度假方案……

再见，图瓦卢

趁现在还来得及，快来太平洋的度假天堂图瓦卢！来这里潜水真的很棒，因为这里所有的小岛都快沉没了，所以你可以时时刻刻都在潜水。如果潮水涨得太高，你还可以向图瓦卢告别，从此"浪"迹天涯！

你只需舒舒服服地坐在客厅里，就能欣赏海底的美景。

事实上，世界上有数千个小岛正面临即将沉没的困境。许多小岛有珊瑚礁保护，嗯，这种保护"本来"是存在的，但是珊瑚礁快被地球大胃王扫空了。

岛民们和数百万居住在海岸线附近的人们，他们未来的命运比热浪中的冰雕还暗淡。但是前途真有那么糟吗？嗯，不，其实是比能想象到的更糟！我们下一章见！

如果你胆子够大，请继续阅读……

世界末日预报

每个人都看过天气预报，但是想象一下，有一天会不会出现世界末日的预报呢？

是前景真的这么暗淡，还是故意吓唬你们的？嗯，这些预报内容随时都会变，科学家对于许多细节的看法并不一致，不过大致发展还是很清楚的。现在，世界各国的顶尖科学家和首脑人物都在关注一场环保大会，争先恐后地讨论这个问题。郝冶寿先生也即将发表演讲……

郝冶寿领衔主演：《环保会议大混战》

94

　　喔，天哪，郝冶寿先生应该没办法完成他的演讲了，他本来要说全球变暖破坏了动植物的栖息地（也就是植物和动物生活的地方）。科学家预测，到 2050 年，地球上 1/4 的动植物会灭绝。听起来是不是很糟？其实这还是在假设我们不会加速排放二氧化碳的前提下做出的预测。如果我们的碳排放速度加快的话，毁灭的可能是地球上 70% 的生物！

　　这是为什么呢？

　　嗯，因为地球变暖的速度太快了，已经超过大自然自我调节的能力。植物没有腿走路，不能转移到比较凉爽的地方。而当植物死亡后，食草动物将会失去食物和庇护所。另外，快速的全球变暖也给珊瑚虫带来更多更坏的影响，仿佛环境污染、过度捕捞以及温度过高还不足以毁掉它们的日子似的。科学家预计，到了 2100 年，海水将变得比过去 10 万年的任何时候都要酸。这将对珊瑚虫以及其他海洋有壳动物造成威胁，因为它们需要碳酸盐来形成外壳，但是在更酸的海水中，这个工作将很难进行。

如果我是动物的话，一定会对这种事态发出怒吼……嗯，所以野兽网（野生动物专用的网站）上收到了一些有脑子的动物朋友发来的愤怒邮件，也就不足为奇了。

亲爱的读者：

对于晚上越来越热这件事，我很不开心。因为这种情况有利于一种真菌的传播，结果害死了我的小宝贝们。

你的朋友　金蟾
（南美洲）

亲爱的读者：

我真的筋疲力尽了！人类破坏了我睡觉的树，全球变暖又使我在夏天动不动就中暑，在冬天又热得睡不着觉……吼吼！谁有安眠药啊？

你的朋友　榛睡鼠
（英国）

亲爱的读者：

我喜欢又高又冷的地方，所以住在高山的雪地下面。但是，现在雪到哪里去了？为什么高山上还这么热？

你的朋友　鼠兔
（美国）

但是并非所有动物都讨厌全球变暖，有些动物就很喜欢……

嗨，伙计们：

别一直骂人类了！我们大鼠就很喜欢人类留下的甜美多汁、长了蛆的食物残渣。我们也感谢温暖的冬天，可以让我们的小宝宝活得更好！两条腿的家伙们，继续努力喔！

爱你们的大鼠家族

附：有人知道哪里有公共厕所，可以让我们全家都搬进去吗？

各位爱吃鬼：

感谢美好的全球变暖，我们现在才敢搬进原本比较冷的地方，然后把田里的马铃薯吃光光！这样一来，人类就不用再吃那些对健康有害的炸薯片了！这是我们表达爱心的方式哦。

爱你们的科罗拉多甲虫

没错！一大群可怕又残忍的家伙正准备冲进原本气候寒冷的地区，吃光我们的农作物，并传播致命的疾病。回到我们的会议现场，下一位演讲者正在描述这些吓人的景象。不过他在情况最糟的时候，总是最高兴。下面，让我们来认识一下吴心肝先生，他是全世界最没心肝的医生……

由于全球变暖，传播疾病的蚊子正迁徙到原本比较寒冷的地区，引发疟疾、脑炎和登革热等疾病。

没错，完全正确！

不过，这样我才能有机会治疗比拉肚子更有趣的病症……

呸呸呸

最后，我们还要回来讨论讨论全球变暖效应。这种全球变暖以及气候异常的现象究竟会怎么演变？气候还会变得更加异常吗？明天早上我们还能平安醒来吗？

世界末日真的要来了

在我告诉你科学家的预测之前，必须先解释一下：如果连今天早上的天气预报都不准的话，科学家怎么能够预测未来20年的气候呢？这一切都是根据最新的科学研究……

✳ 要命的信息大爆炸 ✳

▶ 科学家利用从格陵兰和南极洲钻取的冰芯样品，测量出几千年来大气中温室气体的变化。他们挖出年代超过65万年的古代冰芯（比老冰箱后面的霜还老），这些冰芯样品中含有相应历史年代的大气化学成分，包括温室气体。

▶ 人造卫星可以准确测量海洋和陆地的温度变化，绘制出海平面的上升和冰盖融化的情形。

▶ 超级计算机可以模拟温室气体和地球平均温度变化对未来气候的影响。

▶ 所有的数据都在告诉我们同一个结果：温室气体增加的趋势与地球平均温度上升的趋势相吻合。

你肯定不知道！

100多年前，科学家就知道二氧化碳与全球变暖有关。当时的瑞典科学家阿伦尼乌斯（1859—1927，1903年诺贝尔化学奖获得者）指出，如果大气中二氧化碳的量加倍的话，将使温度突然上升5~6℃（现代科学家认为实际的温度变化会小一点儿）。不过，当时他并不认为这事有什么大不了的，声称出现严重的全球变暖现象要花3 000年，而且世界变得温暖一点儿也不错。

崔牛教授正在会议中解释，科学家们是如何看待气候改变的。

温室气体正值65万年以来的最高水平。到2100年，我们预测全球平均温度会上升1.1—6.5℃。但具体会上升几摄氏度，取决于我们排放的温室气体的多少。总之，世界上的冰川将会继续融化，海平面至少可能会上升59厘米……

敬告喜欢把科学搞复杂的人们

有些科学家好像为了把我们搞糊涂，提出格陵兰的冰川融化可能会减弱湾流。湾流是北大西洋的一股海流，它为美国东北部和欧洲提供温暖的海水，并把冰冷的海水带到赤道。如果湾流不够强，欧洲和美国就会遭遇严寒。所以全球变暖不仅会让天气变热，也会造成寒冷的天气！这样你的心情有没有"冷"静一点儿……

不过，每次你认为事情会恶化时，就会……真的恶化！我们这颗蓝色星球的气候就像用扑克牌搭建的房子，外表看起来很稳固，其实有好多恶性循环正准备摧毁它。这里说的恶性循环是指当一件不好的事发生时，会引发另一件不好的事，然后使第一件事情变得更糟。还记得吗？前面说过全球变暖会导致更多的水蒸气和二氧化

碳进入大气，从而加速变暖。嗯，这只是开始而已。想想看，如果你是像 Z 教授一样疯狂的科学家，一心想要毁灭世界……

7.5招轻松毁灭世界

1. 确认你已经准备好所有需要的东西：你需要一颗名叫地球的蓝色行星，还有大约60多亿笨笨的人类。

往火堆多加些煤炭。

2. 尽可能多地焚烧燃料，释放二氧化碳。如此一来，这颗行星会变热，你会看到很多水蒸气冒出来，使得所有东西变得更热。

把火柴拿给我……

……还有斧头！

3. 干旱会毁灭雨林。确认雨林在燃烧，并放出大量的二氧化碳。同时把树木砍光光……别担心，雨林只会妨碍景观。

4. 地球上土壤的温度升高，微生物会更加努力地帮助植物腐烂，向大气中释放更多二氧化碳。当然地球变暖的脚步会更快。

5. 如此一来，地球上所有的冰都会融化，海平面也会上升。因为永久冻土层中含有大量甲烷（光是西伯利亚就有700亿吨），所以当这些冰层融化时，甲烷会逸出，进一步加速地球的变暖。

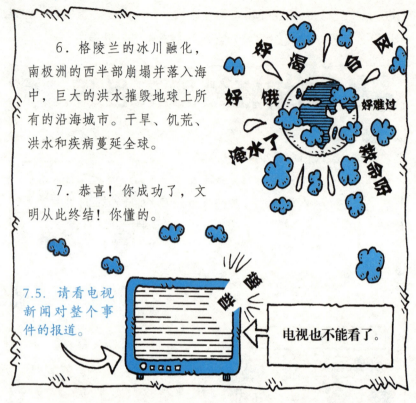

6. 格陵兰的冰川融化，南极洲的西半部崩塌并落入海中，巨大的洪水摧毁地球上所有的沿海城市。干旱、饥荒、洪水和疾病蔓延全球。

7. 恭喜！你成功了，文明从此终结！你懂的。

7.5. 请看电视新闻对整个事件的报道。

电视也不能看了。

其实，真正的情况会比较复杂，步骤1至5会同时发生。而为了让你吓得晚上睡不着，还要告诉你现在甲烷就正从融化中的永久冻土层逸散出来。科学家称这些恶性循环为"正反馈"，不过，它们一点儿都不正面！但真正可怕的是，即使我们从明天起停止释放二氧化碳，这些可怕的"正反馈"还是会继续加速全球变暖。不仅如此，如果地球温度上升超过2℃，气候的改变就会像从悬崖掉落的汽车一样，就算你猛踩刹车，也无济于事。到了那个时候，全球变暖将完全无法停止。

如果真的发生了那种情况，很难想象还将有人可以继续过着幸福快乐的日子。但是真的会发生吗？我们最后会住在洞穴里，啃着甲虫吃剩的发霉的马铃薯吗？

你马上就会知道答案！

如何靠拯救世界赚大钱

回到会议现场，科学家们越来越激动，每个人都想拯救世界，而且都有自己的计划……

我们收集了所有人的主意，并把它们分成3类：

当然你可能对某些主意要怎么归类有不同的看法，而且有些笨主意可能最后被证实为明智的主意……我们马上就会知道有没有这种主意！现在，先来听听一位重要政客提出的超级宇宙无敌愚笨的主意……

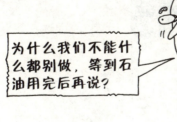

为什么我们不能什么都别做，等到石油用完后再说？

根据两点理由，这个主意属于非常笨的一类。第一点，煤炭、气体燃料和石油的存量足够我们挥霍到毁灭地球为止；第二点，即使化石燃料用完了，人们也会竭尽全力找出新的燃料来燃烧，并释放更多的二氧化碳。有些人甚至想从北冰洋或海底取出甲烷来使用。

你肯定不知道！

近年来，科学家对几种有趣的新燃料进行了研究。

谢谢你，朋友！

1. 2006年，美国旧金山的一家公司计划利用狗大便喂养微生物，然后由微生物制造甲烷燃料。他们甚至想利用人的大便制造甲烷……不过，这听起来真是个臭主意。

2. 另一家公司计划用水、矿物质、含氮肥料以及……火鸡内脏的混合物制造燃油。

讨厌！这比圣诞节还糟糕！

真是让我一肚子气！

3. 2005年，瑞典科学家发明了一种以甲烷为动力的火车，而这些甲烷气体来自于牛的肠子。希望这些牛不要太生气！

拯救地球大考验

下列哪些做法是真的？

1. 在海面上撒下大量的铁屑，可以促进浮游生物繁殖，而浮游生物会吸收二氧化碳。

2. 把大量海水喷到空中，用来反射阳光，并使地球冷却。

3. 在大气层上方撒满金属碎片，用来反射阳光。

4. 在太空架设一片面积像西欧那么大的镜片，用来阻挡阳光。

5. 把月球尘撒在太空中，用来阻挡阳光。

6. 在地球的大都市上空，罩上用特殊玻璃制成的圆顶，以反射热量。

什么方法都好，拜托赶快进行！

答案

1. 真的。但是在2009年的实验中，新增的浮游生物都被贪吃的虾给吃掉了。

2. 真的。但是来自海水的盐可能会阻碍雨水形成，造成干旱。

3. 真的。这是科学家泰勒（1908—2003）的主意，估计他一定是在灵光一闪时想到这个点子的，但是这样做可能会破坏臭氧层。

4. 真的。这个主意听起来不错，不过对植物来说，可是个坏消息。

5. 真的。不过月球尘太光滑了，当它不能起阻隔阳光的作用的时候，反而会将更多的阳光反射到地球。

6. 假的。至少依目前的资料来看，这是假的。

　　以上这些主意都有一个共同的瑕疵：虽说方法有效，但是需要消耗很多能量，也就是说会加剧全球变暖！麻烦来了，现在看看谁闯进了会场？

Z教授的邪恶计划（四）

待续……

明智的主意

除了笨主意和异想天开的主意之外，科学家和各国首脑们正在寻求那些真正明智的主意。

其中有个方法最有效：世界各国应该限制二氧化碳的排放量！嗯，他们的确正在努力啦！麻烦的是这些国家也想依靠地球大胃王来赚钱，所以并不希望比其他国家削减更多的二氧化碳排放量。这种情况有点儿像召开会议，要求大家限制呼吸一样。

幸好，1997 年各国首脑在日本京都达成共识，以 1990 年的排放水平为基准，各国削减至少 5.2% 的二氧化碳的排放量。问题解决了吗？嗯，这可不敢肯定。

直到 2006 年，才有足够的国家同意议定书中的内容，使这些条约可以执行。但是即使在那个时候，美国（二氧化碳排放量最多的国家）仍然不愿意签字。同时，地球变暖越来越严重，海平面越来越高，连北极熊都热得流汗。这时，许多科学家都意识到：面对这么严重的情况，削减 5.2% 的碳排放量根本无济于事！

尽管如此，做总比不做好，而且有些努力已经取得初步成效。一些公司和国家开始出售自己的碳排放配额（温室气体排放量上限）。简单地说，你节省下自己可以排放的二氧化碳量，把一定量的配额卖给想多排放一点儿二氧化碳的讨厌鬼。所以理论上来说，节省二氧化碳的排放量可以让你赚钱。

不仅如此，从 2008 年起，一些国际组织，像 IPCC（国际气候变化专门委员会），集合了来自世界各地的科学家，一起研究并交换全球变暖的信息，所以现在我们可以了解事情有多严重。

另一个明智的主意

还记得石油和气体燃料越来越少吗？嗯，科学家正在寻求不会引发全球变暖的新型燃料……这里说的不是狗大便……而是不必

燃烧，也不会向空气中排放二氧化碳的新能源！

这些新能源主要是指再生能源，也就是把风、波浪、太阳和瀑布的能量转化成电力。这些能源最棒的地方是：你不用向地下挖掘，它们随着天气变化就能源源不断地产生。事实上，再生能源很完美，除了有件尴尬的事情之外——那就是太阳不会一天24小时都照耀大地，风也不会一整天吹个不停，但是我们随时都需要电力。水力发电厂随时可以利用瀑布的能量发电，但还是有个问题：利用瀑布发电需要大型水坝，而建设水坝又会破坏环境。尽管如此，如果能把电力储存在新型的电池里，再生能源对于解决全球变暖还是很有帮助的。

你肯定不知道！

另一个办法是建立火力发电厂，在燃烧煤炭后分离出二氧化碳，并把这些不受欢迎的东西封存在旧的油气田或无法开采的煤矿中。不过……可不可以在不用的旧学校上盖这种发电厂呢？

把窗户关好！
咳咳咳！

2008年，巴西已经有30％的汽车以甘蔗制成的生物燃料为动力。但是，生物燃料也会带来另一些棘手的问题……

当挨饿的穷人希望把甜玉米当晚餐时，而玉米却被拿去当燃料，造成玉米价格高涨，他们可一点儿都高兴不起来。

为了种植棕榈树而去砍伐雨林，对环保和生态也会造成严重的伤害。

生物燃料的运输还可能带来更多的道路和更多的汽车，让地球大胃王更加忙碌，从而造成更加严重的全球变暖。

也许让这部贪婪的机器减慢速度，才是比较明智的做法，对不对？

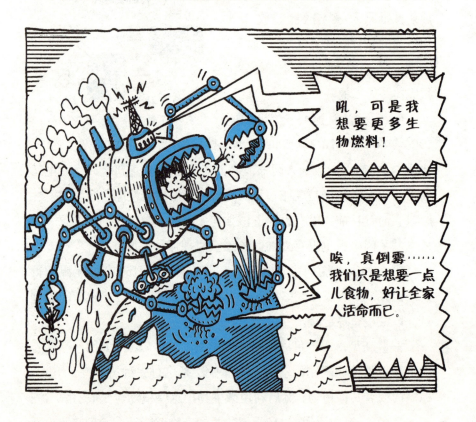

真正能拯救世界的明智主意

许多科学家和不是科学家的人都认为，真正能拯救世界的答案

其实是：低碳生活。也许你会以为那就是每天睡到中午，并且懒散到不写作业……

对不起，低碳的意思是：为了限制排放到空气中的二氧化碳的数量，尽量节约能源。这听起来会让你的日子没有过去那么轻松，不过也不是要你住在帐篷里、只能洗冷水澡、吃难吃的扁豆当早餐，你也不必穿着令人尴尬的脏衣服、旧内裤，甚至为了表示热爱环境而去拥抱大树。

低碳生活是指一种全新的生活方式，代表不浪费能源，尽量少旅行，饮食方式也要改变。这些听起来好像不切实际，不过已经有很多人正在过着这种生活，你和你的家人也可以加入……其实贫穷国家里的人们本来就在过这种生活。

也许你心里会想，你肯定没办法一边过着低碳的生活，一边还能保持生活愉快。嗯，这里有4名自愿者，他们将以实际行动为你展示低碳生活方式。请郝先生一家人出场！

各位读者，请先喘口气，不要被吓到，因为郝家人在阅读本书之后，仿佛脱胎换骨，变成了节约能源的高手！他们家的豪宅也有了很大的变化……

这是我家的新房客！

1．房子安装了最顶级的隔热3层玻璃窗，冬天时可以把冷空气隔绝在室外，达到节约能源的目的。

2．照明都使用节能灯，所有的电器都换成低能耗产品。

3．郝家人使用新型燃料电池热水器，这种热水器可以把它产生的热再转化为电能。

你肯定不知道！

　　科学家和建筑师正在研发设计完全不需要外部能源的环保房屋，以德国的"被动屋"为例：

大窗户位于屋子的南边，让阳光可以射进屋内，保持室内温暖

3层玻璃窗户

大量使用隔热材料

太棒了！我们再盖一栋吧！

我没有能源了！

埋在土里的通风管有助于空气流通，并且保持室内温暖（深层土壤的温度会保持恒定）

　　4. 安装不会排放二氧化碳的太阳能板和风力涡轮，将阳光及风力转化成电能。

　　5. 把多余的房间租给房客，不但增加收入，还能节省燃料开支。

这是一栋可以自己保温、不需要花钱买燃料的房子！真希望有一天所有的房子都像这样，每一所学校和工厂也是。现在，我们要再回到郝家豪宅……

1. 郝家人把9辆汽车都卖掉了（交给厂商回收）！谢谢关心，他们适应得很好。现在他们只有1辆靠电力驱动的电动汽车，车的电池可利用郝家花园里的风力涡轮和太阳能板充电。

2. 这辆车不会制造污染，也不会排放二氧化碳，而且因为动力来自太阳和风，所以不会加速全球变暖。虽然这辆车跑起来没有原来的汽车快，但是能够满足郝家人的需要。

不过，旧的习惯可没那么容易改掉，郝先生正在考虑再买1辆新车，他心急如焚地等着太阳能汽车的上市。

3. 郝家人尽量减少旅行；郝先生会利用网络视频会议设备，在家里组织公司会议；全家人尽量利用因特网购物，因为所有商品都可以送货上门，既节省时间，又节约金钱和能源。

4. 此外，全家人还打算节约更多的金钱。过去他们喜欢到遥远的海边度假，现在他们选择去家附近的地方，并且是乘公交车去，因为这样能节约更多的能源。

5. 俗话说"吃什么补什么"。不过，如果改成"丢什么像什么"，好像也很有道理。所以如果你丢掉一大堆垃圾，你就会变成……在郝家人的低碳生活中，丢掉的少，回收的多。他们把垃圾分为纸类、塑料类、金属类和玻璃类，而且把菜叶果皮丢进堆肥桶。他们购买生活用品时，经常会光顾当地的二手商店，挑选一些精致的古董……不过，有时他们的品位真是令人无法苟同。

回收小贴士

废物回收是一件好事情。一方面，可减少垃圾填埋场中腐烂的垃圾量，从而减少温室气体甲烷的排放量；另一方面，制造再生产品所消耗的能量比较少，减少了二氧化碳的排放量。据估计，回收利用1千克的纸可以减少2千克的二氧化碳排放量。

6. 郝家超市也改头换面了。首先，它不再是普通的超市了，而是一家专卖当地新鲜食品的网络商店。人们通过电话或电子邮件下订单，郝先生的电动车队就会把货品送到指定的地址。由于郝先生不需要支付店铺在供暖、照明、制冷等方面的费用，这就像从天上掉下来一大笔钱似的，因此他可以把价格定得比超市更便宜，付给农民比较高的价钱，自己还能赚到大把的钞票。

郝家网络商店

郝家生鲜食材

生意真好！

跟郝家人一起来环保

7. 具有环保新观念的郝先生热衷于支持有机农业的发展。这种耕种方式不采用任何高能耗手段，零碳排放，也不使用伤害野生动物的杀虫剂，而是采用传统的耕种方式，既可以保护野生动物，又可以防治害虫和杂草。事实上，郝家人现在尽可能多吃有机蔬菜，不吃太多的肉。因为肉类来自动物，而饲养动物会比种植植物耗费更多能量（更别提它们的屁股排出甲烷时的美妙声音，以及所造成的温室效应）。

8. 因为健康的饮食习惯，以及走路的机会变多，郝家的小孩变得健康又有活力。在未来的生活中，他们也将充分享受健康的乐趣。

你肯定不知道!

科学家已经研究出哪种丧葬方式的碳排放量会比较少。墓室四周衬有钢铁的大型墓穴是最糟糕的,因为制造那些钢铁会消耗很多能源,美国每年打造豪华墓穴所产生的温室气体和生产20万辆汽车所产生的一样多。火葬也好不到哪里去!想想看那要用掉多少燃料?根据科学家的说法,把遗体装进纸棺材并放在森林中是最善待地球的方式之一,因为遗体所产生的二氧化碳会被树木吸收。

不过,用低碳的方式埋葬自己,应该不是你现在日程表上最想做的事。现在你最想做的事情应该是赚大钱!你有没有注意到郝家人省下了多少钱?低碳意味着高收入,所以请仔细阅读下去,下面将教你用环保赚大钱的方法。

有胆你就试······节约能源赚大钱

你需要:

▶ 一张电费或煤气费的账单

▶ 一对很好骗的父母

▶ 无敌可爱的微笑

▶ 计算器

实验步骤:

1. 当你好骗的父母打开账单时,你可能会听到奇怪的磨牙声(那是他们咬牙切齿的声音)。如果那张账单的缴款金额数目巨大,他们的脸色可能会变得苍白,并发出可怜的抱怨声。这时,小心选择恰当的时机,提出一个令他们无法拒绝的提议······

对他们说，你的建议可以帮他们省钱，家中的经济情况也能获得改善。如果这样还不能说服他们，就开始装可怜，然后对他们说：

怎么样？成功了吗？赞一个！

2. 巡视房子一周，把所有处于待机状态的电器开关都关上，包括电视、计算机、CD 机、游戏机和洗衣机。（注意：别关掉冰箱或冰柜的开关，否则你会看到爸妈的脸色冷若冰霜！）如此一来，你已经为家里节约下 7% 的电费。因此你可以分到其中的 3.5%，而你还根本没有开始大显身手呢！

3. 如果你在家，把空调冷气的温度调高1℃，可以节省约10%的电费；外出时，把冷气关掉，可以省下更多钱。接下来，把热水器的设定水温调到50℃以下（这一项必须请大人帮忙，否则热水器炸掉了，对你的赚钱计划一点儿好处也没有）。

糟糕，对不起，老爸！不过，嘿，我们可以换台高效率的热水器了！

4. 每套房子平均有23个电灯泡，请父母全换成节能灯。向你的父母说明，买节能灯是一种可以省钱的投资。

5. 制定新的家规。

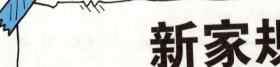

新家规

1. 没有人在的房间不准开灯或开电器。

2. 不准泡澡，一律用淋浴的方式。

或是干脆别洗了。

3. 洗衣机工作时，脏衣物必须占满一半以上的体积。

4. 如果你想加热食物，尽量使用微波炉。

5. 开冷气时，不准打开窗户。

6. 任何时候都要遵守这些规则，违者要在裤子里洒痱子粉。

喔！哇！啊！哎哟！

在下个月账单到来之前，你必须时常巡视屋子，注意随手关灯，关掉没人看的电视。但这一切绝对值得，你家的电费会因此而减少，钞票会像滚雪球一般滚到你身边。既拯救地球又可以赚钱，真是很棒的生意经！而且这是迈向低碳生活的第一步！

但是这样就够了吗？

人类创造了地球大胃王，但是我们能够控制它吗？一切都还来得及吗？还有，喔，我的天，Z教授刚刚说要在10分钟之内，用有毒废弃物毁灭地球，而现在已经过去9分半钟了！

地球快要变成废墟了吗？

你最好相信这一点！

地球的生态危机

Z教授的邪恶计划（五）

　　真是个疯狂的科学家！只因为我们不让他统治世界，竟然搭乘宇宙飞船逃往太空。总之，现在该为这本书做个总结了。

　　距今 2.5 亿年前，地球上安安静静。巨大的鱼类在海洋里称霸，胖嘟嘟的爬虫类是陆地上的霸主，而恐龙还没有出现，当然更没有人类……直到有一天，位于现今西伯利亚的地面突然裂开，火山喷发出大量的二氧化碳，这种温室气体使地球变暖，气温突然升高了 6℃，比现在还热。高温杀死了大量的植物，陆地上的动物只好挨饿。

　　海水温度的上升阻止了海流中氧气的循环，令海洋中的动物无法呼吸。9/10 的海洋生物以及 2/3 的陆地生物都灭绝了，只剩下微

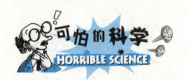
生物统治着浩劫过后的地球。那几乎是世界末日……不过，还差一点点：有一些动物幸存下来了。100万年后，地球逐渐冷却，演化出新的物种。

我们现在面临的问题和过去的那场灾难相比，根本是小巫见大巫，但它仍然可以作为一个警示！因为有些科学家认为，地球的温度正在朝增加6℃的方向发展。幸好这次我们拥有一个前所未有的武器：人类的大脑。毫无疑问，我们比大鱼聪明，比胖嘟嘟的爬虫类更有智慧。

当然也别忘了，正是我们的聪明创造出了地球大胃王，使自己身陷目前的困境。幸好当事情开始不对劲时，我们能够有足够的智慧察觉到，希望我们也能拥有足够的智慧找出解决的办法。

地球生态危机训练营

现在看看
你是不是一名化解
地球生态危机的专家！

被滥用的燃料

因为人类对燃料的贪得无厌，才使地球受到如此的伤害。每当我们打开一盏灯、煮一只蛋或是开一次车，我们都要消耗燃料，而燃料一旦用尽，将无可取代。请完成下面的测验，发现关于燃料的可怕事实。

1. 化石燃料是由什么奇怪的物质形成的？

a）史前植物和动物的遗骸

b）天然蜂蜜

c）动物大便和菜园堆肥

2. 哪一种日渐稀少的化石燃料，会在未来50年内用完？

a）姐姐的过期少女杂志

b）煤炭

c）石油

3. 每次爸妈开车送你到学校，都会排放哪种可怕的温室气体？

a）甲烷

b）口臭

c）二氧化碳

4. 煤炭燃烧时会释放能量，但是这些能量中真正能变成电能的部分占全部的多少？

a）全部

b）1/3

c）少于5%

5. 巴西的农民会以什么植物当原料，制造生物燃料乙醇？

a）甘蔗

b）棉花糖

c）树汁

6. 为什么有些科学家反对核能？

a）他们还没想出怎么利用核能

b）他们还没想出怎么安全处理核废料

c）他们担心核能产生的热会让地球熔化

7. 直接由地底开采出来的石油，在还没有处理之前称为什么？

a）原油

b）粗油

c）生油

8. 在全世界，利用最普遍的再生能源是什么？

a）核能

b）太阳能

c）风能

答案

1. a），
2. c），
3. c），
4. b），
5. a），
6. b），
7. a），
8. c）。

生气蓬勃的再生能源

你可能认为拯救世界最好的办法就是：逮捕疯狂的 Z 教授，并彻底粉碎他的邪恶计划！但是多年来，科学家都在寻求其他更有效的办法。他们中的大多数都认为，使用再生能源是正确的方向。请根据下面的提示文字，写出与再生能源相关的正确名称，从而真的拯救世界。

什么方法都好，拜托赶快进行！

1. 场风

提示：这个有风吹过的地方能把风能转换成电能。

2. 能核

提示：利用铀原子核分裂产生能量。

3. 能阳板太

提示：这是个很赞的超级阳光收集器！

4. 燃生物料

提示：植物可以取代石油吗？

5. 电坝水大

提示：为了利用水流的能量，要用墙把水堵起来。

6. 热地

提示：这种能量是从地下向上涌出的。

7. 汐潮电发

提示：月球的引力赋予了这种水特殊的能力。

8. 电波发浪

提示：来自海面的能量。

答案

1. 风场，
2. 核能，
3. 太阳能板，
4. 生物燃料，
5. 水电大坝，
6. 地热，
7. 潮汐发电，
8. 波浪发电。

拯救地球的神奇发明

为了拯救日渐变暖的世界，人们想出了各式各样奇奇怪怪的法子。你能不能区别哪些是真的？哪些是假的呢？

1. 有位瑞典发明家想象出一种"花"灯，可以监视能量使用的情形。如果你的能量利用率高，金属制的花瓣会展开向你恭喜……真是个令人心花怒放的聪明点子！

2. 20 世纪末，美国有一群科学家发明了高效能的汽车，利用牛屁中的甲烷作为动力。

3. 自从 19 世纪以来，科学家就一直致力于一种特殊电池的研究，这种电池能够捕获阳光中的能量，并将其转化为电能。

4. 一位精神错乱的瑞士发明家设计了一种大型的玻璃屋顶，它能够罩在城市的上空，阻止温室气体进入大气层。

5. 在某些国家，垃圾填埋场中腐烂的垃圾释放出的气体被收集起来，用于发电。

6. 为了使建筑更加环保，最新的方法是建造"绿色屋顶"：利用苔藓覆盖屋顶，甚至在那里种花，绿色植被可以起到隔热的作用，同时还能过滤雨水，减少污染。

7. 一群德国天才发明了一种环保的行动方式：将装了弹簧的特殊高跷绑在腿上，可以让你大步向前跳（和向上跳）。

8. 一群飞机制造商联手发明了一种无污染的飞机，仅靠风力和气流就可以实现长距离飞行。

答案

1. 真的。这位富有想象力的科学家希望能提醒人们在家要注意能源的使用效率。

2. 假的。确实有许多与绿色汽车有关的聪明点子，但绝对没有牛屁汽车！

3. 真的。而且他们成功了！目前世界上有许多电器可以使用太阳能电池，甚至还有"太阳能农场"，专门提供绿色电力给一般家庭使用。

4. 假的。在这种巨大的温室之内，每个人都会闷热得受不了，况且这么大的城市屋顶要怎么盖呢？

5. 真的。有些超强的科学家指出，在我们处理垃圾填埋场中的垃圾的时候，也应该好好利用其中释放出的气体。

6. 真的。屋顶上的绿色花园对环境有很多好处。

7. 真的。在德国，这种很酷的玩意儿已经掀起一股风潮，这是一种很好的运动方式，而且还很环保。

8. 假的。他们正在研究的是省油的飞机发动机，光靠滑翔不可能飞得太远。

有毒废弃物

每年，愚笨的人类都会扔掉几百万吨垃圾，向河流和海洋倾倒有毒的化学制品，从汽车和工厂排放有毒的废气。你对有毒废弃物的了解有多少呢？

1. 煤炭燃烧时，产生的烟和空气中的水蒸气混合后，会产生哪一种毒性污染？（提示：那是一种危险的降水。）

2. 哪一种导致水体污染的化学杀手会损害人的脑组织，甚至致人死亡？（提示：你一定不想喝下这种害人的金属。）

3. 海中的塑料袋会使在水中觅食的动物产生误会，猜猜看，它们会把塑料袋当成什么？（提示：没准它们喜欢凉拌着来吃。）

4. 哪一种要命的农药会在土壤里发挥毒性，杀死生物，并且污染供水？（提示：真的是虫虫杀手。）

5. 在大气层中，哪一层保护层已经受到氟氯碳化物的破坏了？（提示：那个地方出现了很大的洞。）

6. 哪一种污染性的商品是用石油制造，种类超过 50 种以上，而且其中大多数都无法回收？（提示：从聚苯乙烯到水暖管道，这种材料几乎可以做成任何物品。）

7. 哪一种有毒废弃物在被丢弃几百几千年之后，仍然会有致命的危险？（提示：一种具有放射性的垃圾。）

8. 哪一种黏稠的物质会从地下管线或是从船上泄漏，造成土地

和海水污染，并对野生动物造成危害？（提示：这种灾害是咎“油”自取。）

"经典科学" 系列（26册）

肚子里的恶心事儿
丑陋的虫子
显微镜下的怪物
动物惊奇
植物的咒语
臭屁的大脑
神奇的肢体碎片
身体使用手册
杀人疾病全记录
进化之谜
时间揭秘
触电惊魂
力的惊险故事
声音的魔力
神秘莫测的光
能量怪物
化学也疯狂
受苦受难的科学家
改变世界的科学实验
魔鬼头脑训练营
"末日"来临
鏖战飞行
目瞪口呆话发明
动物的狩猎绝招
恐怖的实验
致命毒药

"经典数学" 系列（12册）

要命的数学
特别要命的数学
绝望的分数
你真的会＋－×÷吗
数字——破解万物的钥匙
逃不出的怪圈——圆和其他图形
寻找你的幸运星——概率的秘密
测来测去——长度、面积和体积
数学头脑训练营
玩转几何
代数任我行
超级公式

"科学新知" 系列（17册）

破案术大全
墓室里的秘密
密码全攻略
外星人的疯狂旅行
魔术全揭秘
超级建筑
超能电脑
电影特技魔法秀
街上流行机器人
美妙的电影
我为音乐狂
巧克力秘闻
神奇的互联网
太空旅行记
消逝的恐龙
艺术家的魔法秀
不为人知的奥运故事

"自然探秘" 系列（12册）

惊险南北极
地震了！快跑！
发威的火山
愤怒的河流
绝顶探险
杀人风暴
死亡沙漠
无情的海洋
雨林深处
勇敢者大冒险
鬼怪之湖
荒野之岛

"体验课堂" 系列（4册）

体验丛林
体验沙漠
体验鲨鱼
体验宇宙

"中国特辑" 系列（1册）

谁来拯救地球